VLADÍMIR ILITCH LÊNIN

O ESTADO E A REVOLUÇÃO

A DOUTRINA DO MARXISMO SOBRE O ESTADO E AS TAREFAS DO PROLETARIADO NA REVOLUÇÃO

REVISÃO DA TRADUÇÃO / TRADUÇÃO DOS APÊNDICES: PAULA VAZ DE ALMEIDA

© desta edição, Boitempo, 2017
© Edições "Avante!", Lisboa, 2011, para a tradução em língua portuguesa
Título original: *Государство и революция/ Gossudárstvo i revoliútsia*

Direção editorial	Ivana Jinkings
Conselho editorial da coleção Arsenal Lênin	Antonio Carlos Mazzeo, Antonio Rago, Augusto Buonicore, Ivana Jinkings, Marcos Del Roio, Marly Vianna, Milton Pinheiro, Slavoj Žižek
Edição	Isabella Marcatti e André Albert
Assistência editorial	Thaisa Burani e Artur Renzo
Tradução	Edições Avante!
Revisão de tradução dos capítulos e tradução dos apêndices	Paula Vaz de Almeida
Preparação	Thais Rimkus
Revisão	Silvia Almeida
Coordenação de produção	Juliana Brandt
Assistência de produção	Livia Viganó
Capa	Pianofuzz Studio
Diagramação	Aeroestúdio

Equipe de apoio
Allan Jones, Ana Yumi Kajiki, Bibiana Leme, Camila Rillo, Eduardo Marques,
Elaine Ramos, Frederico Indiani, Heleni Andrade, Isabella Barboza, Ivam Oliveira, Kim Doria,
Marlene Baptista, Maurício Barbosa, Renato Soares, Thaís Barros, Tulio Candiotto

CIP-BRASIL. CATALOGAÇÃO NA PUBLICAÇÃO
SINDICATO NACIONAL DOS EDITORES DE LIVROS, RJ

L585e

Lênin, Vladímir Ilitch, 1870-1924
    O Estado e a revolução: a doutrina do marxismo sobre o Estado e
as tarefas do proletariado na revolução / Vladímir Ilitch Lênin. – 1. ed.
– São Paulo : Boitempo, 2017. (Arsenal Lênin)

    Apêndice
    Inclui índice
    Inclui cronologia
    ISBN 978-85-7559-574-9

    1. Marx, Karl, 1818-1883. 2. Socialismo. 3. Estado. 4. Revoluções.
I. Título. II. Série.

17-43987   CDD: 335.4
                                              CDU: 330.85

É vedada a reprodução de qualquer parte deste livro sem a expressa autorização da editora.

1ª edição: setembro de 2017; 10ª reimpressão: julho de 2025

BOITEMPO
Jinkings Editores Associados Ltda.
Rua Pereira Leite, 373
05442-000 São Paulo SP
Tel.: (11) 3875-7250 / 3875-7285
editor@boitempoeditorial.com.br | boitempoeditorial.com.br
blogdaboitempo.com.br | youtube.com/tvboitempo

SUMÁRIO

NOTA DA EDIÇÃO BRASILEIRA, 7

NOTA DA EDIÇÃO SOVIÉTICA DE 1969, 11

APRESENTAÇÃO – MARCOS DEL ROIO, 13

PREFÁCIO À PRIMEIRA EDIÇÃO, 23

PREFÁCIO À SEGUNDA EDIÇÃO, 25

CAPÍTULO 1. A SOCIEDADE DE CLASSES E O ESTADO

1. O Estado: um produto do caráter inconciliável das contradições de classe, 27

2. Destacamentos especiais de pessoas armadas, prisões etc., 31

3. O Estado: um instrumento de exploração da classe oprimida, 34

4. O "definhamento" do Estado e a revolução violenta, 38

CAPÍTULO 2. O ESTADO E A REVOLUÇÃO. A EXPERIÊNCIA
DOS ANOS 1848-1851

1. As vésperas da revolução, 45

2. O balanço da revolução, 49

3. A explanação de Marx de 1852, 56

CAPÍTULO 3. O ESTADO E A REVOLUÇÃO. A EXPERIÊNCIA
DA COMUNA DE PARIS DE 1871. A ANÁLISE DE MARX

1. Em que consiste o heroísmo da tentativa dos *communards*?, 59

2. Pelo que substituir a máquina quebrada do Estado?, 64

3. A extinção do parlamentarismo, 68

4. A organização da unidade da Nação, 74

5. A extinção do Estado parasita, 77

CAPÍTULO 4. CONTINUAÇÃO. EXPLICAÇÕES COMPLEMENTARES DE ENGELS

1. A "questão da moradia", 81

2. A polêmica com os anarquistas, 84

3. Carta a Bebel, 88

4. A crítica do projeto do Programa de Erfurt, 91

5. O prefácio de 1891 à *Guerra Civil* de Marx, 98

6. Engels sobre a superação da democracia, 104

CAPÍTULO 5. AS CONDIÇÕES ECONÔMICAS DO DEFINHAMENTO DO ESTADO

1. A explanação de Marx, 109

2. A transição do capitalismo para o comunismo, 111

3. A primeira fase da sociedade comunista, 117

4. A fase superior da sociedade comunista, 120

CAPÍTULO 6. A VULGARIZAÇÃO DO MARXISMO PELOS OPORTUNISTAS

1. A polêmica de Plekhánov com os anarquistas, 129

2. A polêmica de Kautsky com os oportunistas, 131

3. A polêmica de Kautsky com Pannekoek, 139

POSFÁCIO À PRIMEIRA EDIÇÃO, 149

PLANOS, RESUMOS E NOTAS AO LIVRO *O ESTADO E A REVOLUÇÃO*, 151
PLANOS PARA O ARTIGO NÃO ESCRITO "SOBRE A QUESTÃO DO PAPEL DO ESTADO", 175

POSFÁCIO À EDIÇÃO BRASILEIRA – LÊNIN: UNIDADE E COERÊNCIA DO PENSAR E AGIR – MARIA ANGÉLICA BORGES, 191

ÍNDICE ONOMÁSTICO, 197

CRONOLOGIA, 209

NOTA DA EDIÇÃO BRASILEIRA

Vladímir Ilitch Uliánov, o Lênin (1870-1924), foi o mais importante líder revolucionário do século XX e chefe de Estado soviético. Foi também o principal dirigente do evento que inaugurou uma nova etapa da história universal, a Revolução Russa de 1917. Intelectual e estrategista com rara apreensão do momento histórico em que viveu, escreveu artigos e livros que inspiraram a articulação do internacionalismo socialista e aprofundaram os estudos marxistas sobre o capitalismo, o mais-valor, os efeitos do desenvolvimento desigual, o imperialismo, as crises e o Estado. Durante sua existência, praticou o que escreveu e escreveu sobre o que praticou, num notável exemplo de coerência.

Quase toda a obra de Lênin – teórica e prática – foi produzida entre o apagar das luzes do século XIX e as duas décadas que inauguraram o século XX, nas quais sua influência foi decisiva. É o caso de *O desenvolvimento do capitalismo na Rússia* (1899), *Que fazer?* (1902), *Imperialismo, fase superior do capitalismo* (1917) e *O Estado e a revolução* (1918)[1]. Trata-se de uma produção intelectual sem paralelos na história de grandes líderes políticos e estadistas.

Por isso, é fundamental voltar a Lênin, estudar seu legado, aprender com seus ideais de igualdade, liberdade e fraternidade – e também com seus erros. Por isso, a Boitempo assume a tarefa fundamental de lançar o **Arsenal Lênin**, coleção de edições bem cuidadas que reúne o essencial da obra desse pensador da ação política que traduziu como ninguém a expressão política do marxismo. Inaugurada no ano do centenário do Outubro vermelho, a

---

1 Datas de publicação da primeira edição.

coleção tem como volume de estreia *O Estado e a revolução: a doutrina do marxismo sobre o Estado e as tarefas do proletariado*, no qual Lênin tenta – pela primeira vez na história – estabelecer uma teoria marxista do Estado para resolver problemas reais, no calor da hora. "Respostas concretas para situações concretas", como diria o líder bolchevique.

Escrito entre agosto e setembro de 1917, em meio às perseguições do governo provisório encabeçado por Aleksandr Keriénski, este livro é o mais relevante estudo sobre o caráter do Estado desde as obras de Karl Marx e Friedrich Engels. Para concluí-lo, Lênin desbravou página a página os escritos sobre o Estado dos fundadores do materialismo dialético, notadamente *A origem da família, da propriedade privada e do Estado*, de Engels, e *A guerra civil na França*, de Marx.

Sua elaboração remonta a polêmicas no seio do partido bolchevique, em 1916, que motivaram o dirigente a confeccionar o caderno conhecido como *O marxismo sobre o Estado* (o "Caderno azul"). Nele, organizou inúmeras citações de Marx, Engels, Kautsky, Pannekoek e Bernstein, e fez observações e críticas que se tornariam a base de *O Estado e a revolução*. Essa obra, redigida meses antes da tomada do poder, só foi publicada no primeiro semestre de 1918. O autor revisou e ampliou o volume para a segunda edição russa, lançada no ano seguinte, dando-lhe a forma final.

Sobre esta edição de *O Estado e a revolução*

A presente edição de *O Estado e a revolução* é uma adaptação, para o português brasileiro, da tradução feita diretamente do russo pelo coletivo das Edições Avante!, de Portugal. A quarta edição, publicada em 2011, serviu como base para o texto, à exceção do Capítulo 5, que já havia sido incluído no livro *As armas da crítica*[2] após revisão de tradução de Paula Almeida e que passou por pequenas modificações para esta edição.

---

2 Emir Sader e Ivana Jinkings (orgs.), *As armas da crítica* (São Paulo, Boitempo, 2012).

Além de adaptar o texto às peculiaridades de nossa língua, Paula Almeida cotejou-o com a edição em russo presente no tomo 33 das obras completas de Lênin[3] – a qual se baseia na segunda edição russa de *O Estado e a revolução* e inclui anotações que a comparam ao manuscrito original. Foram aproveitadas notas das edições soviética e portuguesa – algumas delas adaptadas, em razão de anacronismos. Novos comentários, cuja necessidade também se deveu à passagem do tempo, aparecem como notas nas páginas a seguir.

Para adequar a terminologia conceitual, valemo-nos de edições consagradas de Marx e Engels em português – na maioria publicadas pela Boitempo. Todos os trechos de obras escritas em alemão citados adiante foram traduzidos diretamente desse idioma, pois Lênin consultou esses originais. Excertos de obras que ainda não tiveram edições em português com base no alemão foram traduzidos por Nélio Schneider para a Boitempo. Nos casos em que reproduzimos edições já publicadas, mantivemos entre parênteses, após as citações, as referências originais do líder bolchevique.

Esta publicação apresenta, pela primeira vez em língua portuguesa, os planos de Lênin para *O Estado e a revolução*, escritos entre julho e setembro de 1917. Traduzidos do russo por Paula Almeida, revelam diferentes momentos da elaboração do material, incluindo os tópicos e a estrutura do Capítulo 7, ao fim nunca redigido. A apresentação gráfica desses planos procura preservar destaques e indicações do autor e, ao mesmo tempo, garantir uma leitura clara. Além das notas da edição soviética, auxiliam na interpretação do texto comentários elaborados a partir do cruzamento dos planos com a edição original de *O marxismo sobre o Estado*[4]. Lênin era sistemático em seus estudos e anotações, o que permitiu decifrar parte expressiva das remissões.

O volume também inclui materiais relacionados ao artigo nunca escrito "Sobre a questão do papel do Estado", igualmente traduzidos do russo. Eles nos dão um vislumbre das inquietações que levaram Lênin a escrever, meses depois, uma das obras fundamentais da literatura marxista sobre o Estado.

---

3 Vladímir Ilitch Lênin, *Сочинения/ Sotchinénia* [Obras] (Moscou, Издательство Политической Литературы/ Izdátelstvo Polititcheskoi Literatúry, 1969).

4 Idem, *Марксизм о государстве/ Marksizm o gossudarstve*, em *Sotchinénia*, cit., t. 33.

Código de notas para os textos de Lênin
* – Nota do autor
N. E. – Nota da edição brasileira
N. E. P. – Nota da quarta edição portuguesa, de 2011
N. E. R. – Nota da edição soviética de 1969, publicada em russo no tomo 33
das *Сочинения/ Sotchinénia* [Obras] de Lênin
N. E. R. A. – Nota da edição soviética de 1969, com adaptações
N. R. T. – Nota da revisão de tradução

NOTA DA EDIÇÃO SOVIÉTICA DE 1969

O Estado e a revolução: a doutrina do marxismo sobre o Estado e as tarefas do proletariado na revolução foi escrito por Lênin na clandestinidade, em agosto/setembro de 1917, quando o autor se ocultava das perseguições do governo provisório burguês.

Lênin, nos últimos anos de emigração, estudou com especial atenção o problema do caráter do poder do Estado proletário. No segundo semestre de 1916, expressou a ideia de que era necessário refutar as deturpações da doutrina de Marx sobre o Estado contidas nas obras de Karl Kautsky e de outros oportunistas da social-democracia internacional.

"Agora", escreveu Lênin a A.[leksandr] G.[ravílovitch] Chliápnikov,

coloca-se na ordem do dia não só prosseguir a linha referendada por nós (contra o tsarismo etc.) em nossas resoluções e no folheto [...], mas também depurar dos absurdos e das confusões da negação da democracia (incluindo o desarmamento, a negação da autodeterminação, a negação "em geral", errada teoricamente, da defesa da pátria, as vacilações quanto ao papel e ao significado do Estado em geral etc.).

No segundo semestre de 1916, Nikolai Ivánovitch Bukhárin defendeu, numa série de artigos, opiniões antimarxistas e semianarquistas a respeito do Estado e da ditadura do proletariado. No artigo "A Internacional da Juventude"[1], publicado em dezembro de 1916, Lênin criticou duramente a posição de Bukhárin e prometeu escrever um artigo pormenorizado sobre a atitude do marxismo em relação ao Estado[2]. Em carta datada de 4 (17) de

---

1   Ver p. 183 deste volume. (N. E.)

2   Trata-se de "Sobre a questão do papel do Estado", nunca concluído. Os planos para esse artigo podem ser encontrados na p. 175 deste volume. (N. E.)

fevereiro de 1917[3], Lênin informou Aleksandra Kollontai de que finalizava a preparação das notas referentes a esse problema. As notas estavam reunidas num caderno ao qual deu o título *O marxismo sobre o Estado*[4]. O caderno continha citações de obras de Marx e Engels, assim como extratos de livros e artigos de Kautsky, Pannekoek e Bernstein, com observações críticas, conclusões e sínteses de Lênin.

Os materiais reunidos por Lênin serviram de base para *O Estado e a revolução*, livro que, segundo o plano original do autor, seria constituído por sete capítulos – no entanto, o último deles, intitulado "A experiência das revoluções russas de 1905 a 1917", não chegou a ser escrito. Conservaram-se os planos pormenorizados desse capítulo e da conclusão.

O Estado e a revolução foi publicado em 1918, após a Revolução Socialista de Outubro. Na segunda edição da obra, lançada em 1919, o autor incluiu no segundo capítulo o novo subtítulo "A explanação de Marx em 1852".

---

3 Somente com a Revolução de Outubro de 1917 a Rússia adotou o calendário gregoriano. Antes, usava-se o calendário juliano, conforme orientação da Igreja ortodoxa. Assim, neste volume, sempre que houver uma data seguida de outra entre parênteses, a primeira corresponde à do calendário juliano e a segunda, à do gregoriano (atual). (N. E.)

4 Muitas vezes referido como o "Caderno azul". (N. E.)

APRESENTAÇÃO

*Marcos Del Roio**

Até os anos 80 do século XX, Lênin foi o autor mais traduzido do mundo, graças à iniciativa de divulgação da União Soviética, por meio das Edições Progresso, e também por ser a mais importante referência do movimento comunista. Karl Marx, por suposto, sempre foi referido, mas menos lido, por conta das dificuldades presentes em seus escritos, e publicado de maneira menos sistemática.

A desintegração da União Soviética e de seu arco de alianças na Europa oriental fez com que as obras de Lênin deixassem de ser publicadas não apenas pela editora do Estado, mas também pela arrasadora maioria das editoras que difundiam sua obra ao redor do mundo. A verdade é que, com o fim da União Soviética, a ofensiva ideológica do capital contra qualquer ideia de socialismo e contra seus mais influentes lutadores encontrou em Lênin um nome, uma imagem, uma obra a ser destruída.

Nos centros imperialistas, a expansão capitalista ocorrida nos trinta anos posteriores à Segunda Guerra Mundial pode ter deixado a impressão de que os textos de Lênin perderam qualquer atualidade. No entanto, nas periferias do mundo, onde a questão da revolução nacional mobilizava movimentos e partidos, o autor russo continuou a ser referência importante. A ofensiva ideológica do capital em crise, a partir dos anos 1980, base para a imposição de um projeto societal identificado com o neoliberalismo mesmo nas aludidas regiões periféricas – incluído aqui o Brasil –, tentou alterar esse quadro, submetendo o nome e obra de Lênin à desqualificação e ao ostracismo.

---

* Professor titular do Departamento de Ciências Políticas e Econômicas da Faculdade de Filosofia e Ciências da Universidade Estadual Paulista (FFC-Unesp).

Ocorre que o agravamento da crise do capital e a desmedida ofensiva lançada contra os trabalhadores, em praticamente todas as partes do mundo, conferiram nova atualidade a muitas das elaborações teórico-práticas de Lênin. A enorme precarização das condições de trabalho, com o desemprego crônico massivo e o cancelamento de direitos alcançados na pregressa luta de classe – em geral por parte da classe operária de estampo fordista –, assemelhou a exploração do trabalho no início deste século àquela de um século atrás. Com essas ações, o Estado do capital expõe sempre mais sua natureza classista, e a hegemonia burguesa se impõe sempre mais pela força e pela manipulação.

A agressividade imperialista e o avanço de novas formas de colonialismo são elementos constitutivos dessa ofensiva do capital em crise. O que demarca uma distância significativa da época de Lênin é o avanço descomunal das forças produtivas, que pela lógica histórica seria um facilitador da transição socialista, caso não aparecesse associado à indução de processos acentuadamente destrutivos dos laços sociais e do ambiente.

A não ser por alguns Estados que mantêm importante poder político e militar e disputam tanto a riqueza contida na natureza como aquela socialmente produzida, a tendência é o enfraquecimento e colonização atualizada dos demais. Também o acentuado rentismo faz lembrar as anotações de Lênin sobre a oligarquia financeira que controla, em fim das contas, todo o mecanismo da acumulação. Após ter recuado durante certo período do século XX, o rentismo tendeu a sobredeterminar o processo capitalista a partir da crise estrutural do capital do fim dos anos 1970. É a chamada financeirização do processo de acumulação.

É, então, a regressividade do tempo atual que tem o condão de resgatar Lênin para o debate teórico-prático? Isso é verdade, mas não toda a verdade, pois a obra de Lênin contém elementos essenciais e indissociáveis do ponto de vista teórico-metodológico, e também de previsão e programa, que preservam o caráter instigante e de definição de significados a respeito dos conteúdos teóricos da tradição política e cultural iniciada com Marx.

Toda a obra de Lênin esteve voltada para a práxis. Ele observava a realidade da qual fazia parte, buscava compreendê-la, exercia a crítica de interlocutores que também haviam tentado apreendê-la, demonstrava os equívocos

APRESENTAÇÃO 15

desses interlocutores e enunciava o que deveria ser feito a fim de que aquela realidade em movimento contraditório se orientasse na direção estabelecida por um programa, por sua vez produto de uma previsão e de uma vontade coletiva organizada. Enfim, toda a teoria de Lênin esteve acoplada à prática política revolucionária. O estilo de redação de Lênin é direto e incisivo, feito para ser compreendido. A eventual dificuldade advém da referência a interlocutores que tinham sua importância no momento, mas não foram guardados com destaque na memória histórica e intelectual.

A preocupação maior de Lênin com a questão do Estado se desdobra do problema do imperialismo. Nos anos anteriores ao início da Primeira Guerra, no seio do movimento operário socialista, amadureceram duas grandes vertentes interpretativas a respeito do imperialismo e do Estado. A vertente reformista (ou oportunista, no dizer de Lênin), em linhas gerais, entendia o imperialismo como um desvio no inexorável avanço da democracia, da efetiva publicização do Estado e da progressão de reformas sociais. Nessa leitura, a guerra não seria do interesse da burguesia, classe que se beneficiaria da paz e da expansão do comércio internacional. O interesse do movimento operário seria o de pressionar pela democratização do Estado – esvaziando seu caráter de classe – e, uma vez no governo, aplicar um programa de reformas dentro da ordem.

A outra vertente interpretava o imperialismo como uma fase do desenvolvimento capitalista na qual as contradições intraburguesas e entre capital e trabalho se aguçavam, o que tornava a guerra praticamente inevitável. Nessa situação, o Estado tendia a reforçar ainda mais seu caráter classista e belicoso, cujas implicações imediatas seriam o aumento do controle sobre os trabalhadores e a militarização voltada a um fortalecimento que garantisse ganhos na cena internacional. A vertente reformista tendeu a ver a guerra como de defesa nacional, enquanto a vertente revolucionária constatou o caráter imperialista dela, que trazia a implicação da atualidade da revolução socialista internacional.

Lênin escreveu em 1916, com a guerra em andamento, o estupendo trabalho *O imperialismo, fase superior do capitalismo*[1], que abordava os

---

1 Em *Obras escolhidas em seis tomos*, v. 2 (Lisboa/Moscou, Avante!/Progresso, 1984).

fundamentos econômicos e sociais da política imperialista. A dedução prática, explicitada em outros textos, indicava a necessidade de o proletariado se fazer novamente classe e partido, pois os partidos operários existentes haviam se aliado à burguesia e expressavam o interesse apenas da chamada "aristocracia operária". Aos novos partidos que deveriam ser forjados caberia combater sua própria burguesia e, aliados à classe operária de outras nações, promover a revolução socialista internacional.

Aqui é que a questão do Estado e de sua natureza de classe ganha importância decisiva. No mesmo ano de 1916, no chamado "Caderno azul", Lênin fez anotações sobre a teoria do Estado na literatura marxista. Esse estudo foi interrompido com a eclosão do processo revolucionário no mês de março de 1917 (fevereiro, no calendário então vigente na Rússia). O ressurgimento dos sovietes, logo no início da revolução, tornou possível que Lênin aprofundasse seu entendimento sobre a questão do Estado, pois a própria experiência das massas indicava na teoria e na prática o caminho a ser seguido pela revolução socialista quanto à crucial questão do Estado.

Com a queda da autocracia tsarista, teve início um processo contraditório de democratização, que, de uma parte, idealmente indicava a rota de uma democratização liberal-burguesa e a instauração de um Estado liberal burguês que consolidaria o capitalismo. Esses eram, de fato, a perspectiva teórica e o objetivo político daquela parte do marxismo e da social-democracia russa conhecida como menchevique, além de seus aliados do socialismo revolucionário, que não tinham relação com o marxismo.

Os mencheviques se identificavam com a concepção de Karl Kautsky, o mais prestigioso teórico marxista do início do século XX, visto como continuador de Engels. Supunham que, consolidados um Estado democrático parlamentar e o capitalismo, seria possível implantar na sequência reformas sociais que elevariam o proletariado ao poder, por meio da conquista da maioria política. Lênin, por sua vez, se deu conta de que a organização dos sovietes (conselhos de operários, camponeses e soldados) era o embrião de um novo tipo de Estado, uma democracia proletária, que deveria substituir o Estado feudal absolutista e também impedir que se configurasse um Estado burguês na Rússia, mesmo que no formato democrático-parlamentar (algo muitíssimo difícil de se concretizar!).

Na contradição que se desenrolava não havia qualquer norma jurídica vigente, o que implicava uma disputa entre duas ditaduras: ou a ditadura burguesa anularia os institutos sociais que a classe operária havia criado, ou a classe operária assumiria o poder e fundaria um novo Estado no lugar daquele decaído. A tese de Lênin é então muito clara e com validade não somente para a convulsionada Rússia, mas para todos os Estados liberais imperialistas: a revolução socialista demanda a destruição do Estado burguês, mesmo que democrático-parlamentar, e sua substituição por outro Estado, de ditadura democrática do proletariado, cujo programa seja o de conduzir o processo social para a extinção das classes sociais antagônicas e do Estado.

Quando o I Congresso dos Sovietes de Toda a Rússia[2] (junho de 1917) decidiu continuar a respaldar ao governo provisório e rejeitou a consigna dos bolcheviques de "Todo o poder aos sovietes", a opção foi por transferir a luta para o espaço público: foram as jornadas de julho. O governo provisório respondeu com a repressão aos bolcheviques, que tiveram de recuar para a clandestinidade.

Foi nessa situação que Lênin sentiu que deveria retomar o estudo sobre a teoria do Estado. No campo do movimento operário, Lênin travou debate com a corrente anarquista – a qual entendia que o primeiro ato da revolução vitoriosa seria a abolição do Estado – e, principalmente, com a corrente reformista, na qual se destacavam Kautsky e também o russo Plekhánov.

Lênin buscou respaldar sua tese com as referências de Marx e Engels sobre o problema do Estado. Aqui devem ser feitas duas observações importantes a propósito de Marx e Engels: havia à época uma tendência muito arraigada de olhá-los como uma única mente, sem atentar para as diferenças entre eles; ademais, a obra conhecida desses dois autores era razoavelmente limitada, com as óbvias implicações sobre as interpretações cabíveis. Lênin também precisou enfrentar essa restrição de época.

---

2   Também traduzido como Congresso Pan-Russo dos Sovietes. (N. E.)

Na verdade, nenhum dos dois alemães enfrentou o problema do Estado e da política de modo mais aprofundado e organizado, ainda que chamem atenção e se destaquem a crítica seminal de Marx a Bruno Bauer *Sobre a questão judaica* (1843)[3] e o livro de Engels *A origem da família, da propriedade e do Estado* (1884)[4], inspirado nas anotações feitas por Marx sobre o livro *A sociedade antiga* (1881), de Lewis H. Morgan[5]. As demais fontes são textos de intervenção política em períodos revolucionários e seus desdobramentos, em particular a Revolução de 1848 e a Comuna de Paris.

O objetivo de Lênin foi demonstrar que, para Marx e Engels, o Estado era uma máquina de dominação e opressão de classe, formada em torno da burocracia, da polícia e do exército. A consciência plena de que tal máquina teria de ser destruída e substituída por outra que expressasse o poder revolucionário do proletariado só veio com a Comuna de Paris. De fato, Lênin entende a Comuna de Paris como a primeira experiência concreta de poder revolucionário do proletariado, a qual, no decorrer de seus pouco mais de dois meses de duração, tomou medidas essenciais para a destruição do Estado burguês e sua substituição por outro em que predominasse a vontade coletiva do proletariado.

Contra o anarquismo, que argumenta pela abolição imediata do Estado, a dupla Marx e Engels defende a imperiosa necessidade de um poder político revolucionário transitório. Esse poder revolucionário neutralizaria a resistência inevitável da burguesia, destruiria as instituições do Estado opressor e configuraria os institutos sociais da corporação do trabalho. Tratar-se-ia, então, de um poder transitório com o objetivo histórico de extinguir o Estado político e substituí-lo pela administração coletiva das coisas.

Com o respaldo dessa formulação, Lênin se sente em plenas condições de defender que ele próprio era o seguidor mais fiel das ideias de Marx e Engels e, assim, atacar os principais autores que se diziam marxistas, mas poderiam ser chamados de reformistas, oportunistas, social-patriotas, re-

---

3 Trad. Nélio Schneider e Wanda Nogueira Caldeira Brant, São Paulo, Boitempo, 2010.
4 Trad. Leandro Konder, Rio de Janeiro, Best Bolso, 2014.
5 Trad. Maria Lúcia de Oliveira, Rio de Janeiro, Zahar, 2014.

negados e outros qualificativos depreciativos. De fato, a vertente reformista entendia que o aprofundamento da democracia burguesa abriria espaços de passagem rumo ao socialismo ou à "justiça social", sem qualquer necessidade de violência revolucionária e destruição do Estado, em particular das instituições representativas, como o parlamento. Bastaria o aperfeiçoamento das instituições.

Assim, *O Estado e a revolução* foi redigido nos meses de agosto e setembro de 1917, em determinado momento do processo revolucionário que então se desenrolava. O livro não foi concluído, tendo faltado o último capítulo, que analisaria a Revolução Russa de 1905 e aquela que se encontrava em andamento. A redação do livro foi sustada exatamente porque a revolução retomava fôlego nas ruas depois do fracasso do intentado golpe militar e do esvaziamento completo das forças que compunham o governo provisório. Assim, Lênin retomou a ação política revolucionária com a preparação da insurreição.

Em novembro de 1917 (outubro, no calendário então vigente) e nos meses subsequentes, parecia estar a caminho de se concretizar a tese fundamental de Lênin – a de que o Estado das classes dominantes deveria ser destruído e substituído por outro erigido pelo proletariado industrial e seus aliados, com base nos sovietes. O Estado dos conselhos, forma especificada da ditadura democrática do proletariado, teve um início alvissareiro; porém, a resistência armada das classes dominantes depostas, a intervenção armada imperialista, a resistência (e incompetência) da burocracia estatal e a contenção da revolução apenas ao espaço russo estreitaram bastante os limites do processo revolucionário.

Em seu escrito, Lênin aborda também o horizonte mais longínquo da extinção do Estado, objetivo alcançável em condições muito específicas. A passagem ao comunismo deveria necessariamente se iniciar com a ruptura revolucionária e a destruição do Estado burguês, mesmo que fosse uma democracia capitalista, que seria substituída por uma democracia proletária, muito mais ampla e profunda do que aquela. Na primeira fase da transição, muitas características do capitalismo ainda estariam presentes, inclusive o direito burguês, mas já seria abolido o direito de propriedade privada dos meios de produção. Passaria a viger o princípio de que todos deveriam trabalhar da melhor maneira possível, mas a cada um caberia o equivalente a seu trabalho, descontados os recursos endereçados ao fundo comum. De tal maneira, ainda subsistiriam a desigualdade social e mesmo o mais-valor. O Estado seria necessário a fim de controlar e fazer extinguir a classe dos capitalistas.

A fase superior da transição comunista, mais difícil de ser perscrutada, exigiria um grande desenvolvimento das forças produtivas, a fim de superar a diferenciação social e a oposição entre trabalho manual e intelectual. A democracia, nessas condições, seria tão ampla que se poderia extinguir, por ser também ela uma forma de Estado. Nesse horizonte – com a extinção do Estado político –, a emancipação do trabalho e a liberdade humana estariam então concretizadas.

Quando os sovietes e os bolcheviques assumiram o poder, de imediato era o caso de consolidar a democracia proletária, para o que era imprescindível neutralizar a resistência da nobreza e da burguesia. O passo inicial da transição comunista fora realizado, mas a situação econômica e social do país estava perto da ruína. A expectativa de fato era que aquele tivesse sido o passo inicial de uma revolução internacional que muito brevemente alcançaria pelo menos a Alemanha, país com forças produtivas mais avançadas e com classe operária mais bem qualificada que as russas.

Com a demora na concretização ou a frustração dessa perspectiva, à Rússia soviética caberia apenas se empenhar em desenvolver um capitalismo monopolista de Estado, única possibilidade num cenário de atraso e destruição das forças produtivas. Assim, após a derrota da revolução na Alemanha, Lênin percebeu que naquela conjuntura conviviam em forte tensão um capitalismo monopolista de Estado burguês na Alemanha (e em outros países imperialistas) e um muito frágil capitalismo monopolista de Estado proletário na Rússia. Fez-se necessário, então, avançar na linha estratégica do desenvolvimento do capitalismo monopolista de Estado fundado na aliança operário-camponesa – um tímido passo inicial no longo caminho da transição comunista.

Marília, julho de 2017.

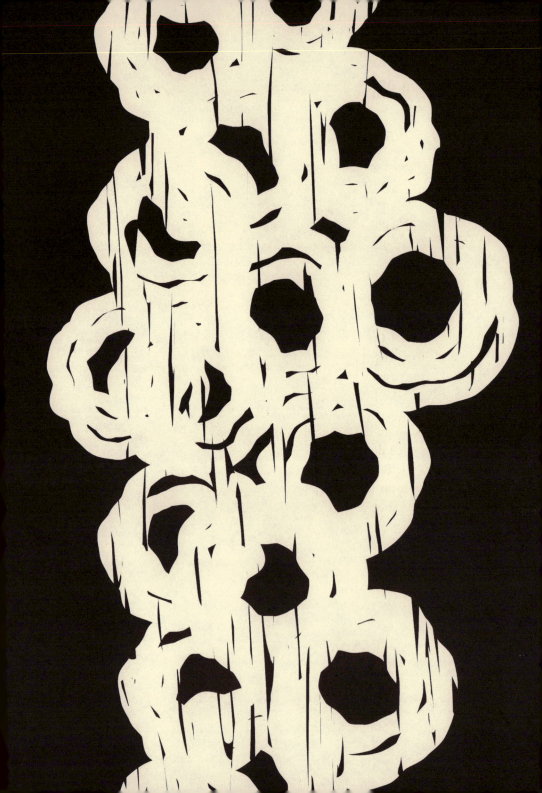

PREFÁCIO À PRIMEIRA EDIÇÃO

A questão do Estado adquire atualmente uma importância particular tanto no aspecto teórico como no aspecto político prático. A guerra imperialista acelerou e acentuou de modo extremo o processo de transformação do capitalismo monopolista em capitalismo monopolista de Estado. A descomunal opressão das massas trabalhadoras pelo Estado, que se funde cada vez mais estreitamente com as uniões onipotentes de capitalistas, torna-se cada vez mais descomunal. Os países avançados se transformam – falamos de sua "retaguarda" – em presídios militares para os operários.

Os horrores e as calamidades da guerra que se prolonga tornam insuportável a situação das massas, aumentam sua indignação. A revolução proletária internacional amadurece visivelmente. A questão de seu relacionamento com o Estado adquire uma importância prática.

Os elementos de oportunismo acumulados durante décadas de desenvolvimento relativamente pacífico criaram a corrente dominante nos partidos socialistas oficiais de todo o mundo, o social-chauvinismo. Essa corrente (Plekhánov, Potréssov, Brechkóvskaia, Rubanóvitch; depois, sob uma forma um pouco velada, os senhores Tseretéli, Tchernov e cia. na Rússia; Scheidemann, Legien, David, entre outros, na Alemanha; Renaudel, Guesde, Vandervelde na França e na Bélgica; Hyndman e os fabianos[1] na Inglaterra

---

1 Membros da Sociedade Fabiana, organização reformista inglesa fundada em 1884. A sociedade devia sua designação ao nome do general romano do século III a. C. Fábio Máximo, cognominado *Cuntactor* [Contemporizador] por sua tática de expectativa, evitando os combates decisivos na guerra contra Aníbal, vencida pelos romanos. Entre os membros da Sociedade Fabiana predominavam representantes da intelectualidade burguesa – cientistas, escritores, políticos (Sidney e Beatrice Webb, Ramsay Mac-Donald, George Bernard Shaw, entre outros). Negavam a necessidade da luta de classe do proletariado e da revolução socialista e afirmavam que a passagem do capitalismo para o socialismo só seria possível por meio de pequenas reformas e de alterações graduais da sociedade. Em 1900, a Sociedade Fabiana compôs o Partido Trabalhista sob o nome Comitê de Representação Trabalhista, que receberia a denominação atual em 1906. O "socialismo fabiano" é uma das fontes da ideologia dos trabalhistas.

etc. etc.), um socialismo em palavras, o chauvinismo de fato, caracteriza-se por uma adaptação vil e lacaiesca dos "chefes do socialismo" aos interesses não só de "sua" burguesia nacional, mas precisamente de "seu" Estado, pois a maioria das assim chamadas grandes potências exploram e escravizam há muito toda uma série de povos pequenos e fracos. E a guerra imperialista constitui exatamente uma guerra pela divisão e pela redistribuição desse gênero de saque. A luta pela libertação das massas trabalhadoras da influência da burguesia em geral, e da burguesia imperialista em particular, é impossível sem uma luta contra os preconceitos oportunistas em relação ao "Estado".

Examinaremos, em primeiro lugar, a doutrina de Marx e de Engels sobre o Estado, detendo-nos de modo pormenorizado nos aspectos dela que foram esquecidos ou submetidos a uma deturpação oportunista. Em seguida, analisaremos particularmente o principal representante dessas deturpações, Karl Kautsky, o chefe mais conhecido da Segunda Internacional (1889-1914), que sofreu tão lamentável bancarrota na presente guerra. Por fim, extrairemos os principais ensinamentos das experiências da Revolução Russa de 1905 e, especialmente, da de 1917. Esta última, pode-se ver, termina, no momento presente (princípios de agosto de 1917[2]), a primeira fase de seu desenvolvimento, mas toda essa revolução, em geral, só pode ser compreendida como um dos elos na cadeia das revoluções proletárias socialistas provocadas pela guerra imperialista. A questão da atitude da revolução socialista do proletariado em relação ao Estado adquire, desse modo, não apenas importância política prática, mas também relevância da maior atualidade como questão do esclarecimento das massas sobre aquilo que terão de fazer num futuro próximo para sua libertação do jugo do capital.

O autor
Agosto de 1917.

Nos anos da Primeira Guerra Mundial (1914-1918), os fabianos tomaram a posição conhecida como social-chauvinista. Para uma caracterização dos fabianos por Vladímir Ilitch Lênin, ver "Английский пацифизм и английская нелюбовь к теории"/ "Anglíski patsifizm i angliskaia neliubov k teori" [O pacifismo inglês e a antipatia inglesa pela teoria], em *Сочинения/ Sotchinénia* [Obras] (5. ed.), v. 26, p. 266-72. (N. E. R. A.)

2   Meados de agosto, no calendário gregoriano. (N. E.)

PREFÁCIO À SEGUNDA EDIÇÃO

A presente edição, a segunda, é publicada quase sem alterações. Acrescentou-se apenas o terceiro item do Capítulo 2.

O autor
Moscou, 17 de dezembro de 1918.

CAPÍTULO 1
A SOCIEDADE DE CLASSES E O ESTADO

1. O ESTADO: UM PRODUTO DO CARÁTER INCONCILIÁVEL DAS CONTRADIÇÕES DE CLASSE

Com a doutrina de Marx, acontece hoje o que na história aconteceu mais de uma vez com as doutrinas dos pensadores revolucionários e dos chefes das classes oprimidas em sua luta pela libertação. As classes opressoras, durante a vida dos grandes revolucionários, retribuíam-nos com incessantes perseguições, acolhiam sua doutrina com a fúria mais selvagem, com o ódio mais feroz, com as mais furibundas campanhas de mentiras e calúnias. Depois da morte deles, tentam transformá-los em ícones inofensivos, canonizá-los, por assim dizer, conceder a seu *nome* certa glória para "consolar" as classes oprimidas e para enganá-las, castrando o *conteúdo* da doutrina revolucionária, embotando seu gume revolucionário, vulgarizando-a. Nesse "arranjo" do marxismo, encontram-se agora a burguesia e os oportunistas no interior do movimento operário. Esquecem, afastam, deturpam o lado revolucionário da doutrina, sua alma revolucionária. Colocam em primeiro plano, glorificam aquilo que é aceitável ou que parece aceitável para a burguesia. Todos os social-chauvinistas são "marxistas" hoje – não riam! E, cada vez mais, os doutos burgueses alemães, ainda ontem especialistas na destruição do marxismo, falam de um Marx "nacional-alemão", que teria educado com tamanha excelência as uniões operárias organizadas para a condução da guerra de rapina!

O ESTADO E A REVOLUÇÃO

Diante de tal situação, diante da prevalência sem precedentes de deturpações do marxismo, nossa tarefa consiste, antes de tudo, em *restabelecer* a verdadeira doutrina de Marx sobre o Estado. Para isso, é fundamental apresentar uma série de longas citações das próprias obras de Marx e de Engels. Certamente, tais citações tornarão a exposição pesada e não contribuirão de modo nenhum para sua popularidade. No entanto, é absolutamente impossível passar sem elas. Todas as passagens – pelo menos todos os trechos decisivos – das obras de Marx e de Engels sobre a questão do Estado devem necessariamente ser apresentadas do modo mais completo possível, a fim de que o leitor possa formar uma ideia independente do conjunto das concepções dos fundadores do socialismo científico e do desenvolvimento dessas concepções, bem como para que sua deturpação pelo "kautskianismo" dominante hoje seja provada documentalmente e demonstrada com clareza.

Comecemos pela obra mais divulgada de Friedrich Engels, *A origem da família, da propriedade privada e do Estado*, que foi publicada em Stuttgart em 1894 e já está na sexta edição[1]. Seremos obrigados a traduzir as citações a partir de originais alemães, porque as traduções russas, apesar de muito numerosas, são, na maior parte, incompletas ou extremamente insatisfatórias[2].

"O Estado", diz Engels, fazendo o balanço de sua análise histórica, "não é, pois, de modo nenhum, um poder que se impôs à sociedade de fora para dentro"; tampouco é "a realidade da ideia moral" ou "a imagem e a realidade da razão", como afirma Hegel[3].

---

1 Friedrich Engels, *A origem da família, da propriedade privada e do Estado* (trad. Leandro Konder, Rio de Janeiro, Civilização Brasileira, 1984).

2 Pela mesma preocupação expressa por Lênin, ou seja, o compromisso com o sentido original, optou-se aqui por citar edições das obras de Marx e Engels consagradas no Brasil, que tenham sido traduzidas para o português brasileiro diretamente da língua original. (N. R. T.)

3 Hegel expôs sua teoria do Estado na parte final de *Princípios da filosofia do direito*, publicado em 1821. Marx oferece uma análise detalhada do livro de Hegel no trabalho *Crítica da filosofia do direito de Hegel* (§§ 261-313, em que trata da questão sobre o Estado – trad. Rubens Enderle e Leonardo de Deus, São Paulo, Boitempo, 2013, p. 118 e seg.). Sobre as conclusões a que chega Marx a partir da análise crítica dos pontos de vista sobre Hegel, Engels escreve no artigo "Karl Marx": "Partindo da filosofia do direito de Hegel, Marx desenvolveu a noção de que a esfera em que se deve buscar a chave para a compreensão do processo de desenvolvimento histórico da humanidade não é o Estado, representado por Hegel como a 'coroação do edifício', mas, pelo contrário, a 'sociedade civil', que Hegel tratou com

É antes um produto da sociedade quando esta chega a determinado grau de desenvolvimento; é a confissão de que essa sociedade se enredou numa irremediável contradição com ela própria e está dividida por antagonismos inconciliáveis que não consegue conjurar. Mas para que esses antagonismos, essas classes com interesses econômicos colidentes, não se devorem e não consumam a sociedade numa luta estéril, faz-se necessário um poder colocado aparentemente por cima da sociedade, chamado a amortecer o choque e a mantê-lo dentro dos limites da "ordem". Esse poder, nascido da sociedade, mas posto acima dela se distanciando cada vez mais, é o Estado. (6. ed. alemã, p. 177-8.)[4]

Encontra-se aqui expressa com toda a clareza a principal ideia do marxismo sobre a questão do papel histórico e do significado do Estado. O Estado é o produto e a manifestação do *caráter inconciliável* das contradições de classe. O Estado surge onde, quando e na medida em que as contradições de classe *não podem* objetivamente ser conciliadas. E inversamente: a existência do Estado prova que as contradições de classe são inconciliáveis.

É justamente nesse ponto essencial e importantíssimo que começa a deturpação do marxismo, que segue duas linhas principais.

Por um lado, os ideólogos burgueses, especialmente os pequeno-burgueses – obrigados pela pressão de fatos históricos incontestáveis a reconhecer que o Estado existe apenas se existem contradições de classe e luta de classes –, "corrigem" Marx de tal maneira que o Estado aparece como órgão de *conciliação* de classes. Segundo Marx, o Estado não poderia surgir nem se manter caso a conciliação de classes fosse possível. Para professores e publicistas pequeno-burgueses e filisteus – muitas vezes por meio de referências benevolentes a Marx! –, o Estado justamente concilia as classes. Segundo Marx, o Estado é um órgão de *dominação* de classe, um órgão de *opressão* de uma classe por outra, é a criação da "ordem" que legaliza e consolida essa opressão, moderando o conflito das classes. Na concepção dos políticos pequeno-burgueses, a ordem é justamente a conciliação das classes, não a opressão de uma classe por outra;

---

desdém". Friedrich Engels, "Karl Marx", *Die Zukunft*, n. 185, 11 ago. 1869 [sem tradução publicada no Brasil]. (N. E. R.)

4 Friedrich Engels, *A origem da família, da propriedade privada e do Estado*, cit., p. 191. As referências entre parênteses após as citações, aqui e no restante do volume, são as feitas pelo autor. (N. E.)

moderar o conflito significa conciliar, não tirar das classes oprimidas determinados meios e processos de luta por meio da derrubada dos opressores.

Por exemplo, na Revolução de 1917, quando a questão do significado e do papel do Estado foi apresentada em toda a sua grandeza, na prática, como uma questão de ação imediata – e, além disso, uma ação de escalas massivas –, todos os SRs (socialistas-revolucionários)[5] e os mencheviques caíram imediata e inteiramente na teoria pequeno-burguesa da "conciliação" das classes pelo "Estado". Inúmeras resoluçõcs c artigos de políticos desses partidos estão completamente impregnados da teoria pequeno-burguesa e filisteia da "conciliação". Que o Estado é o órgão de dominação de determinada classe, a qual *não pode* ser conciliada com sua antípoda (com sua classe antagonista), isso é algo que a democracia pequeno-burguesa nunca poderá compreender. A relação com o Estado é uma das provas mais evidentes de que nossos SRs e mencheviques não são de modo nenhum socialistas (o que nós, bolcheviques, sempre demonstramos), mas democratas pequeno-burgueses com uma fraseologia quase-socialista.

Por outro lado, a deturpação "kautskiana" do marxismo é muito mais sutil. "Teoricamente" não se nega nem que o Estado seja um órgão de dominação de classe nem que as contradições de classe sejam inconciliáveis. Mas se perde de

5 Socialistas-revolucionários (SRs): partido surgido entre o fim de 1901 e o início de 1902, na Rússia, como resultado da associação de diferentes grupos e círculos. Para Lênin, os SRs tentavam tapar "os buracos do populismo [...] com emendas da 'crítica' marxista da moda" ("Социализм и Крестьянство"/ "Sotsializm i krestiánstvo" [O socialismo e o campesinato], em *Sotchinénia* (5. ed.), v. 11, p. 285. Nos anos da Primeira Guerra Mundial, a maioria dos SRs assumiu a posição do chamado social-chauvinismo.
Depois da Revolução de Fevereiro de 1917, os SRs e os mencheviques foram o principal apoio do governo provisório, e líderes do partido (Keriénski, Avksêntiev, Tchernov) entraram em sua composição. O partido dos SRs abandonou o apoio às exigências dos camponeses e defendeu a conservação da propriedade da terra aos proprietários; os ministros SRs do governo provisório enviaram tropas para reprimir camponeses.
Às vésperas do levante armado de outubro, o partido passou abertamente para o lado contrarrevolucionário. Com isso, no fim de novembro do mesmo ano formou-se um partido independente de SRs de esquerda. A fim de preservar sua influência sobre os camponeses, os SRs de esquerda reconheceram formalmente o poder dos sovietes e entraram em acordo com os bolcheviques.
No entanto, durante a guerra civil, parte dos SRs apoiou os interventores e a Guarda Branca, participou de conspirações contrarrevolucionárias e organizou atos terroristas contra dirigentes do Estado soviético e do Partido Comunista. (N. E. R. A.)

A SOCIEDADE DE CLASSES E O ESTADO 31

vista ou se obscurece o seguinte: se o Estado é o produto do caráter inconciliável das contradições de classe, se ele é uma força que está *acima* da sociedade e "*cada vez mais se aliena* da sociedade", então é evidente que a emancipação da classe oprimida é impossível não só sem uma revolução violenta, *mas também sem o extermínio* daquele aparelho do poder de Estado que foi criado pela classe dominante e no qual está encarnada essa "alienação". Como veremos adiante, Marx chegou a essa conclusão, teoricamente clara por si mesma, com a mais completa precisão, baseando-se na análise histórica concreta das tarefas da revolução. E foi justamente essa a conclusão que Kautsky – mostraremos em detalhes na exposição a seguir – "esqueceu" e adulterou.

2. DESTACAMENTOS ESPECIAIS DE PESSOAS ARMADAS, PRISÕES ETC.

"Distinguindo-se da antiga organização gentílica"[6] (de tribos ou de clãs), prossegue Engels, "o Estado caracteriza-se, em primeiro lugar, pelo agrupamento de seus súditos *de acordo com uma divisão territorial*"[7].

Essa divisão nos parece "natural", mas exigiu uma longa luta contra a velha organização por *gens* ou por tribos.

O segundo traço característico é a instituição de uma *força pública*, que já não mais se identifica com o povo em armas. A necessidade dessa força pública especial deriva da divisão da sociedade em classes, que impossibilita qualquer organização armada espontânea da população. [...] Essa força pública existe em todo Estado; é formada não só de homens armados, como, ainda, de acessórios materiais, os cárceres e as instituições coercitivas de todo gênero, desconhecidos pela sociedade da *gens*.[8]

---

6 Segundo Engels, regime da comunidade primitiva ou primeira formação econômico-social da história da humanidade. A coletividade gentílica era de consanguíneos, ligados por laços econômicos e sociais. Seu segundo momento, o do patriarcado, teria levado à transformação da sociedade primitiva em sociedade de classes e ao surgimento do Estado. A propriedade social dos meios de produção e a distribuição igualitária dos produtos constituiriam a base das relações de produção do regime primitivo. (N. E. R. A.)

7 Friedrich Engels, *A origem da família, da propriedade privada e do Estado*, cit., p. 192.

8 Idem.

Engels desenvolve o conceito dessa "força" que se chama Estado, força nascida da sociedade, mas que se coloca acima dela e cada vez mais se aliena dela. Em que consiste, fundamentalmente, essa força? Em destacamentos especiais de pessoas armadas tendo à disposição prisões etc.

Temos o direito de falar de destacamentos especiais de pessoas armadas, porque o poder público próprio de qualquer Estado "não coincide diretamente" com a população armada, com sua "organização armada espontânea".

Como todos os grandes pensadores revolucionários, Engels procura chamar a atenção dos operários conscientes justamente para aquilo que o filistinismo dominante apresenta como o menos digno de atenção, o mais habitual, consagrado por preconceitos não apenas duradouros, mas, pode-se dizer, petrificados. O exército permanente e a polícia são os principais instrumentos da força do poder de Estado, mas... como poderia ser de outra maneira?

Do ponto de vista da imensa maioria dos europeus do final do século XIX, aos quais Engels se dirigia e que não tinham vivido nem observado de perto uma única grande revolução, não poderia ser de outra maneira. Para eles, era completamente incompreensível o que seria uma "organização armada espontânea da população". À questão de por que surgiu a necessidade de destacamentos especiais de pessoas armadas (polícia, exército permanente) colocadas acima da sociedade e alienadas desta, os filisteus europeus ocidentais e russos inclinam-se a responder com um par de frases copiadas de Spencer ou de Mikhailóvski, com uma referência à complexidade crescente da vida social, à diferenciação das funções etc.

Tal referência parece "científica" e adormece admiravelmente o filisteu, obscurecendo o principal e o fundamental: a cisão da sociedade em classes irreconciliavelmente hostis.

Sem essa cisão, a "organização armada espontânea da população" seria diferenciada, em razão da complexidade, do nível elevado da técnica etc., apresentados pela organização primitiva de um bando de macacos armados de paus, pelas populações originais ou pelas pessoas associadas na sociedade de clãs, como se tal organização fosse possível.

Ela é impossível porque a sociedade da civilização está cindida em classes hostis e, além disso, irreconciliavelmente hostis, cujo armamento "espontâneo" conduziria a uma luta armada entre elas. Forma-se o Estado, cria-se uma força especial, destacamentos especiais de pessoas armadas, e cada revolução, ao destruir o aparelho de Estado, mostra-nos a luta de classes nua, mostra-nos em primeira mão como a classe dominante se esforça por reconstruir os destacamentos especiais de pessoas armadas que *a* servem, como a classe oprimida se esforça por criar uma nova organização desse gênero, capaz de servir não aos exploradores, mas aos explorados.

Engels mostra teoricamente no exemplo citado aquela mesma questão que qualquer grande revolução apresenta na prática, de modo patente e, além disso, na escala da ação das massas, a saber: a da inter-relação entre os destacamentos "especiais" de pessoas armadas e a "organização armada espontânea da população". Veremos como essa questão é concretamente ilustrada pela experiência das revoluções europeias e russas.

Mas voltemos à exposição de Engels.

Ele demonstra que às vezes, por exemplo, em certas regiões da América do Norte, esse poder público é fraco (trata-se de uma exceção muito rara na sociedade capitalista, daquelas partes da América do Norte em que, no período pré-imperialista, predominava o colono livre), mas que, no geral, se reforça:

> (A força pública) se fortalece na medida em que se exacerbam os antagonismos de classe dentro do Estado e na medida em que os Estados contíguos crescem e aumentam de população. Basta-nos observar a Europa de hoje, onde a luta de classes e a rivalidade nas conquistas levaram a força pública a tal grau de crescimento que ela ameaça engolir a sociedade inteira e o próprio Estado.[9]

Isso não foi escrito posteriormente ao início dos anos 90 do século passado [século XIX]. O último prefácio de Engels tem a data de 16 de junho de 1891. Então, a virada para o imperialismo – tanto no sentido da dominação completa dos trustes quanto no sentido da onipotência dos maiores bancos

---

9   Ibidem, p. 192-3.

e no sentido de uma grandiosa política colonial etc. – estava apenas começando na França e era ainda mais fraca na América do Norte e na Alemanha. A partir disso, a "rivalidade nas conquistas" deu um gigantesco passo adiante, tanto é que o globo terrestre estava, no começo do segundo decênio do século XX, definitivamente partilhado entre esses "conquistadores concorrentes", ou seja, as grandes potências saqueadoras. Os armamentos militares e navais cresceram incrivelmente desde então, e a guerra de rapina de 1914--1917 pela dominação do mundo por parte da Inglaterra ou da Alemanha, pela partilha do saque, levou à "absorção" de todas as forças da sociedade pelo poder do Estado rapina até uma catástrofe completa.

Engels soube demonstrar, ainda em 1891, a "concorrência de conquistas" como um dos mais importantes traços distintivos da política externa das grandes potências, e, nos anos 1914-1917, quando justamente essa concorrência, muitas vezes agravada, engendrou uma guerra imperialista, os canalhas do social-chauvinismo acobertaram a proteção dos interesses espoliadores de "sua" burguesia com frases sobre a "proteção da pátria", sobre a "defesa da república e da revolução", e assim por diante!

3. O ESTADO: UM INSTRUMENTO DE EXPLORAÇÃO DA CLASSE OPRIMIDA

Para a manutenção de um poder público especial, situado acima da sociedade, são necessários impostos e dívidas públicas.

"Donos da força pública e do direito de recolher os impostos", escreve Engels, "os funcionários, como órgãos da sociedade, põem-se, então, acima dela. O respeito livre e voluntariamente tributado aos órgãos da constituição gentílica não lhes basta, mesmo que pudessem conquistá-lo"[10]. Criam-se leis especiais acerca da santidade e da imunidade dos funcionários.

O mais reles dos beleguins do Estado civilizado tem mais "autoridade" do que todos os órgãos da sociedade gentílica juntos; no entanto, o príncipe mais po-

10 Ibidem, p. 195.

deroso, o maior homem público, ou general, da civilização pode invejar o mais modesto dos chefes de *gens*, pelo respeito espontâneo e indiscutido que lhe professavam.[11]

Aqui se põe a questão da situação privilegiada dos funcionários como órgãos do poder de Estado. É traçado como fundamental: o que os coloca *acima* da sociedade? Veremos como essa questão teórica foi resolvida na prática pela Comuna de Paris, em 1871, e dissipada de modo reacionário por Kautsky, em 1912.

Como o Estado nasceu da necessidade de conter o antagonismo das classes, e como, ao mesmo tempo, nasceu em meio ao conflito delas, é, por regra geral, o Estado da classe mais poderosa, da classe economicamente dominante, classe que, por intermédio dele, se converte também em classe politicamente dominante e adquire novos meios para a repressão e a exploração da classe oprimida.[12]

Não só os Estados antigo e feudal foram os órgãos da exploração dos escravos e dos servos, como também

o moderno Estado representativo é o instrumento de que se serve o capital para explorar o trabalho assalariado. Entretanto, por exceção, há períodos em que as lutas de classes se equilibram de tal modo que o poder de Estado, como mediador aparente, adquire certa independência momentânea em face das classes.[13]

Assim foi com a monarquia absoluta dos séculos XVII e XVIII, o bonapartismo do primeiro e do segundo impérios na França, Bismarck na Alemanha.

De nossa parte, acrescentamos: o governo de Keriénski na Rússia republicana depois da passagem para a perseguição do proletariado revolucionário, em um momento em que os sovietes, em razão da direção dos democratas pequeno-burgueses, *já* são impotentes e a burguesia *ainda* não é suficientemente forte para pura e simplesmente os dissolver.

Na república democrática, prossegue Engels, "a riqueza exerce seu poder de modo indireto, embora mais seguro", a saber: em primeiro lugar, por meio

11 Idem.
12 Ibidem, p. 193.
13 Ibidem, p. 194.

da "corrupção direta dos funcionários" (Estados Unidos), em segundo lugar, por meio da "aliança entre o governo e a Bolsa"[14] (França e Estados Unidos).

Atualmente, o imperialismo e o domínio dos bancos "elevaram" ambos os métodos de defender e praticar a onipotência da riqueza em quaisquer repúblicas democráticas a uma arte extraordinária. Se, por exemplo, logo nos primeiros meses da república democrática na Rússia –pode-se dizer, durante a lua de mel do casamento dos SRs "socialistas" e dos mencheviques com a burguesia no governo de coalizão –, o sr. Paltchínski sabotou todas as medidas para domar os capitalistas e seu banditismo, sua pilhagem do tesouro por meio dos fornecimentos de guerra; se, depois de ter saído do ministério, o sr. Paltchínski (substituído, é claro, por outro Paltchínski exatamente igual) foi "premiado" pelos capitalistas com um lugarzinho com um vencimento de 120 mil rublos por ano, então o que é isso? Corrupção direta ou indireta? Uma aliança do governo com os cartéis[15] ou "apenas" relações amistosas? Que papel desempenham os Tchernov e os Tseretéli, os Avksiéntev e os Skóbelev? São aliados "diretos" dos milionários dilapidadores dos dinheiros públicos ou apenas indiretos?

A onipotência da "riqueza" funciona, portanto, *melhor* em uma república democrática, uma vez que não depende de determinados defeitos do mecanismo político, do mau invólucro político do capitalismo. A república democrática é o melhor invólucro político possível para o capitalismo; por isso, o capital, tendo se apoderado (por meio dos Paltchínski, dos Tchernov, dos Tseretéli e cia.) desse melhor invólucro, fundamenta seu poder de modo tão sólido, tão seguro, que *nenhuma* substituição na república democrática burguesa, nem de pessoas nem de instituições, tampouco de partidos, abala esse poder.

É preciso notar, ainda, que Engels, com plena precisão, define também o sufrágio universal como instrumento de dominação da burguesia. O sufrá-

14 Ibidem, p. 194-5.

15 Tal como a palavra inglesa *syndicate*, a palavra russa синдикат (transliteração: *sindikat*) pode designar tanto um sindicato de trabalhadores como um grupo econômico ou cartel. Ela também aparece com esta segunda acepção no Capítulo 5 e em uma passagem dos "Planos para o artigo 'Sobre o papel do Estado'", p. 175 deste volume. (N. E.)

gio universal, diz ele, tendo manifestamente em conta a longa experiência da social-democracia alemã, é "o índice do amadurecimento da classe operária. No Estado atual, não pode nem poderá jamais ir além disso"[16].

Os democratas pequeno-burgueses, assim como nossos SRs e nossos mencheviques, bem como seus irmãos gêmeos, todos os social-chauvinistas e os oportunistas da Europa ocidental, justamente esperam "mais" do sufrágio universal. Eles compartilham entre si e incutem no povo essa ideia falsa de que o sufrágio universal, "no Estado *atual*", é de fato capaz de revelar a vontade da maioria dos trabalhadores e assegurar que seja posta em prática.

Podemos aqui apenas assinalar essa ideia falsa, apenas indicar que a declaração perfeitamente clara, precisa e concreta de Engels é deturpada a cada passo pela propaganda e pela agitação dos partidos socialistas "oficiais" (ou seja, oportunistas). O esclarecimento detalhado de toda a falsidade dessa ideia, que aqui se afasta de Engels, será dado adiante em nossa exposição das concepções de Marx e de Engels a respeito do Estado *"atual"*.

Um balanço geral de suas concepções nos é dado pelo próprio Engels, em sua obra mais popular, com as seguintes palavras:

> Portanto, o Estado não tem existido eternamente. Houve sociedades que se organizaram sem ele, não tiveram a menor noção do Estado nem de seu poder. Ao chegar a certa fase de desenvolvimento econômico, que estava necessariamente ligada à divisão da sociedade em classes, essa divisão tornou o Estado uma necessidade. Estamos agora nos aproximando, com rapidez, de uma fase de desenvolvimento da produção em que a existência dessas classes não apenas deixou de ser uma necessidade, mas até se converteu num obstáculo à produção em si. As classes vão desaparecer, e de maneira tão inevitável como no passado surgiram. Com o desaparecimento das classes, desaparecerá inevitavelmente o Estado. A sociedade, reorganizando de uma forma nova a produção, na base de uma associação livre de produtores iguais, mandará toda a máquina do Estado para o lugar que lhe há de corresponder: o museu de antiguidades, ao lado da roca de fiar e do machado de bronze.[17]

16 Ibidem, p. 195.
17 Ibidem, p. 195-6.

Não acontece de se encontrar com frequência essa citação na literatura de agitação e de propaganda da social-democracia contemporânea. Mesmo quando é encontrada, é citada mais frequentemente como se estivesse sendo feita uma reverência diante de um ícone, ou seja, uma expressão oficial de respeito para com Engels, sem qualquer tentativa de refletir sobre quão ampla e profunda deve ser a proporção da revolução que pressupõe esse "mandar toda a máquina de Estado para o museu de antiguidades". Na maior parte dos casos, não se vê mesmo a compreensão daquilo a que Engels chamava máquina de Estado.

4. O "DEFINHAMENTO" DO ESTADO E A REVOLUÇÃO VIOLENTA

As palavras de Engels sobre o "definhamento" do Estado são tão amplamente conhecidas, tão frequentemente citadas e mostram com tanto relevo em que consiste a essência da falsificação habitual do marxismo pelo oportunismo que é necessário nos determos em seus pormenores. Citaremos todo o raciocínio do qual são tiradas:

> O proletariado assume o poder de Estado e transforma os meios de produção primeiro em propriedade do Estado. Desse modo, ele próprio se extingue como proletariado, desse modo, ele extingue todas as diferenças e os antagonismos de classes e, desse modo, ele também extingue o Estado enquanto Estado. A sociedade que tivemos até agora, que se move por meio de antagonismos de classes, necessitou do Estado – isto é, de uma organização da respectiva classe espoliadora – para sustentar suas condições exteriores de produção, ou seja, principalmente, para reprimir pela força a classe espoliada nas condições de opressão dadas pelo modo de produção vigente {(escravidão, servidão ou vassalagem, trabalho assalariado)}. O Estado foi o representante oficial de toda a sociedade, sua síntese numa corporação visível, mas ele só foi isso na medida em que constituiu o Estado da classe que, para sua época, representou toda a sociedade {: na Antiguidade, o Estado dos cidadãos escravistas; na Idade Média, o Estado da nobreza feudal; em nosso tempo, o Estado da burguesia}. Tornando-se, por fim, de fato, o representante de toda a sociedade, ele próprio se torna supérfluo. No momento em que não houver mais classe social para manter em opressão, no momento em que forem eliminadas, junto com a dominação classista e a

luta pela existência {individual} fundada na anarquia da produção antes vigente, também as colisões e os excessos delas decorrentes, nada mais haverá para reprimir, nada mais haverá que torne necessário um poder repressor específico, um Estado. O primeiro ato no qual o Estado realmente atua como representante de toda a sociedade – a tomada de posse dos meios de produção em nome da sociedade – é, ao mesmo tempo, seu último ato {autônomo} enquanto Estado. {De esfera em esfera, a intervenção do poder estatal nas relações sociais vai se tornando supérflua e acaba por desativar-se.} O governo sobre pessoas é substituído pela administração de coisas e pela condução de processos de produção. A sociedade livre não pode utilizar ou tolerar nenhum "Estado" entre ela e seus membros. {O Estado não é "abolido", *mas definha e morre*.} É por esse critério que deve ser medida a fraseologia que fala de um "Estado nacional livre", considerando tanto a sua momentânea justificação na boca dos agitadores como a sua definitiva insuficiência científica {; também é por ele que se deve medir a exigência dos assim chamados anarquistas de que o Estado deve ser abolido de um dia para o outro}. (*Anti-Dühring, a revolução da ciência segundo o senhor Eugen Dühring*, 3. ed. alemã, p. 301-3).[18]

Pode-se dizer, sem medo de errar, que esse raciocínio de Engels, notável pela riqueza do pensamento, só se tornou verdadeiro patrimônio do pensamento socialista nos partidos socialistas contemporâneos porque, de acordo com Marx, o Estado "definha e morre", diferentemente da doutrina anarquista da "abolição" do Estado. Podar dessa maneira o marxismo significa reduzi-lo ao oportunismo, pois diante de tal "interpretação" fica apenas a vaga imagem de uma mudança lenta, uniforme, gradual, da ausência de saltos e tempestades, da ausência de revolução. O "definhamento" do Estado, na concepção corrente, geralmente divulgada, de massas, se é que se pode assim dizer, significa o inevitável obscurecimento, senão a negação, da revolução.

Entretanto, semelhante "interpretação" é a mais brutal deturpação do marxismo, favorável apenas para a burguesia e teoricamente baseada no es-

---

18 Idem, *Anti-Dühring: a revolução da ciência segundo o senhor Eugen Dühring* (trad. Nélio Schneider, São Paulo, Boitempo, 2015), p. 316-7. A terceira edição alemã, consultada por Lênin, é datada de 1894 e havia sido revista e ampliada por Engels; as alterações em relação à edição original estão assinaladas entre chaves. (N. E.)

quecimento das mais importantes circunstâncias e considerações indicadas, por exemplo, no raciocínio "do balanço" de Engels por nós citado na íntegra.

Primeiro. Logo no início desse raciocínio, Engels diz que, ao assumir o poder de Estado, o próprio proletariado "extingue o Estado enquanto Estado". Pensar no que isso significa "não é costume". Geralmente isso é ignorado completamente ou considerado algo como uma "fraqueza hegeliana" de Engels. Na realidade, estão resumidas nessas palavras a experiência de uma das maiores revoluções proletárias, a experiência da Comuna de Paris de 1871, da qual falaremos mais detidamente em trecho oportuno. De fato, Engels fala aqui de "extinção" do Estado da *burguesia* pela revolução proletária, ao passo que as palavras sobre o "definhamento" se referem aos resíduos do Estado *proletário, depois* da revolução socialista. O Estado burguês, segundo Engels, não "definha", mas é "extinto" pelo proletariado na revolução. O que definha depois dessa revolução é o Estado proletário, ou um semi-Estado.

Segundo. O Estado é um "poder repressor específico". Essa definição de Engels, admirável e profunda no mais alto grau, é dada por ele aqui com a mais completa clareza. E daí resulta que o "poder repressor específico" da burguesia contra o proletariado, de um punhado de ricos contra milhões de trabalhadores, deve ser substituído por um "poder repressor específico" do proletariado contra a burguesia (a ditadura do proletariado). É nisso que consiste a extinção do "Estado enquanto Estado". É nisso que consiste o "ato" de tomar posse dos meios de produção em nome da sociedade. É evidente por si que *tal* substituição de um "poder específico" (burguês) por outro "poder específico" (proletário) não pode de maneira nenhuma ter lugar sob a forma de "definhamento".

Terceiro. Ao tratar do "definhamento" e, com ainda mais relevo e colorido, do "adormecimento", Engels fala de maneira perfeitamente clara e precisa a respeito da época *posterior* à da "tomada de posse dos meios de produção pelo Estado em nome da sociedade", ou seja, *depois* da revolução socialista. Todos sabemos que, nesse momento, a forma política do "Estado" é a democracia mais completa. Mas a nenhum dos oportunistas que deturpam descaradamente o marxismo ocorre que se trata aqui, e consequentemente em Engels, do "adormecimento" e do "definhamento" da *democracia*. Isso parece muito estranho à primeira vista. Mas só é "incompreensível" para quem não refletiu sobre o fato de que a democracia é *também* um Estado e que, consequentemente, a democracia também desaparece quando desaparece o Estado. O Estado burguês só pode ser "extinto" pela revolução. O Estado em geral, isto é, a democracia mais completa, pode apenas "definhar".

Quarto. Ao formular sua famosa tese de que "o Estado definha e morre", Engels explica de saída e de forma concreta que ela é dirigida tanto aos oportunistas quanto aos anarquistas. Além disso, em Engels é apresentada em primeiro lugar a conclusão da tese sobre o "definhamento do Estado", dirigida aos oportunistas.

Pode-se apostar que de 10 mil pessoas que leram ou ouviram qualquer coisa sobre o "definhamento" do Estado, 9.990 não sabem ou não se lembram em absoluto de que Engels *não* dirigia suas conclusões *unicamente* aos anarquistas. E, das dez que sobraram, com certeza, nove não sabem o que é o "Estado nacional livre" nem por que no ataque a essa palavra de ordem encerra-se o ataque aos oportunistas. Assim se escreve a história! Assim transcorre, silenciosa, a falsificação da grande doutrina revolucionária sob o filistinismo dominante. A conclusão contra os anarquistas foi mil vezes repetida, banalizada, metida na cabeça da maneira mais simplista, adquiriu a solidez de um preconceito. E a conclusão contra os oportunistas foi obscurecida e "esquecida"!

O "Estado nacional livre" era uma reivindicação programática e uma palavra de ordem corrente dos sociais-democratas alemães dos anos [18]70. Não existe nenhum conteúdo político, além de uma descrição pequeno-burguesa e enfática do conceito de democracia, nessa palavra de ordem. Na medida em que, legalmente, nela se fazia alusão à república democrática, Engels estava pronto a "justificar" "temporariamente" essa palavra de ordem a partir de um ponto de vista de agitação. Mas essa palavra de ordem era oportunista, pois exprimia não apenas o embelezamento da democracia burguesa, como também a incompreensão da crítica socialista ao Estado em geral. Somos pela república democrática como melhor forma de Estado para o proletariado sob o capitalismo, mas não temos o direito de esquecer que a escravatura assalariada é o destino do povo mesmo na república burguesa mais democrática. E não para por aí. Qualquer Estado é um "poder repressor específico" contra a classe oprimida. Por isso, *nenhum* Estado *é livre nem nacional*. Marx e Engels esclareceram isso repetidas vezes a seus camaradas de partido nos anos [18]70[19].

Quinto. Naquela mesma obra de Engels, da qual todos recordam o raciocínio a respeito do definhamento do Estado, há um raciocínio sobre o significado da revolução violenta. A avaliação histórica de seu papel transforma-se, em Engels, num verdadeiro panegírico da revolução violenta. Disso "ninguém se lembra"; sobre o significado desse pensamento não é costume nos partidos socialistas contemporâneos falar nem sequer pensar; na propaganda e na agitação cotidianas entre as massas, essas ideias não desempenham nenhum papel. Entretanto, elas estão indissociavelmente ligadas ao "definhamento" do Estado, em um todo harmonioso.

Eis o raciocínio de Engels: "[Dühring nada diz] sobre o outro papel desempenhado pelo poder na história" (além de ser o agente do mal),

> (um papel revolucionário), sobre o fato de ele ser, nas palavras de Marx, a parteira de toda sociedade velha que está prenhe de uma sociedade nova[20], a ferramenta com que o movimento social se impõe e desobedece formas políticas enrijecidas e mortas. Só muito a contragosto ele [Dühring] admite a possibilidade de que, para derrubar a economia de espoliação, talvez o uso da força seja necessário – infelizmente! Porque todo uso da força desmoraliza aquele que faz uso dela[21]. E isso é dito do forte impulso moral e espiritual resultante de cada revolução vitoriosa! E isso é dito na Alemanha, onde um confronto violento, que pode até ser impingido ao povo, pelo menos teria a vantagem de eliminar a subserviência que penetrou na consciência nacional em decorrência da humi-

---

19 Trata-se aqui da obra de Marx *Crítica do Programa de Gotha* (São Paulo, Boitempo, 2012), cap. IV, e da obra de Engels *Anti-Dühring*, e também da carta de Engels a Bebel de 18-28 de março de 1875 (as duas últimas em *Anti-Dühring: a revolução da ciência segundo o sr. Eugen Dühring*, trad. Nélio Schneider, São Paulo, Boitempo, 2015). (N. E. R. A.)

20 Karl Marx, *O capital: crítica da economia política*, Livro I: *O processo de produção do capital* (trad. Rubens Enderle, São Paulo, Boitempo, 2013), p. 821, citado em Friedrich Engels, *Anti-Dühring*, cit., p. 212.

21 Eugen Dühring, *Cursus der National- und Socialökonomie* (2. ed. parcial. rev., Leipzig, Koschny, 1876), p. 348-9, e *Cursus der Philosophie als streng wissenschaftlicher Weltanschauung und Lebensgestaltung* (Leipzig, Koschny, 1875), p. 335. (N. E.)

lhação da Guerra dos Trinta Anos[22]! E esse modo de pensar apagado, anêmico e sem vigor, próprio de um pregador, tem a pretensão de impingir-se ao partido mais revolucionário que a história conhece? (3. ed. alemã, fim do cap. 4, parte II, p. 193.)[23]

Como é possível unir em uma mesma doutrina esse panegírico da revolução violenta, insistentemente apresentado por Engels aos sociais-democratas alemães de 1878 a 1894, ou seja, até sua própria morte, e a teoria do "definhamento" do Estado?

Geralmente, unem-se um e outra com a ajuda do ecletismo, tomando arbitrariamente ora um, ora outro argumento sem princípios ou sofístico (para agradar os detentores do poder), e de cem casos, em 99, se não mais, coloca-se em primeiro plano justamente o "definhamento". A dialética é substituída pelo ecletismo: esse é o fenômeno mais habitual, mais difundido na literatura social-democrata oficial de nossos dias em relação ao marxismo. Tal substituição, naturalmente, não é novidade – foi observada até mesmo na história da filosofia grega clássica. Na falsificação do marxismo pelo oportunismo, a falsificação da dialética pelo ecletismo, que mais facilmente engana as massas, gera uma satisfação aparente; pretensamente leva em conta todos os aspectos do processo, todas as tendências do desenvolvimento, todas as influências contraditórias, e assim por diante, enquanto, na realidade, não oferece nenhuma concepção integral e revolucionária do processo do desenvolvimento social.

Já dissemos, e mostraremos mais detalhadamente na exposição a seguir, que a doutrina de Marx e de Engels sobre a inevitabilidade da revolução violenta refere-se ao Estado burguês. Este *não pode* ser substituído pelo

---

22 Primeira guerra europeia geral, resultado do agravamento das contradições entre os diferentes grupos de Estados europeus e que tomou a forma de luta entre protestantes e católicos. O papa, os Habsburgo espanhóis e austríacos e os príncipes católicos da Alemanha, unidos sob a bandeira do catolicismo, atacaram os países protestantes: os países tchecos, a Dinamarca, a Suécia, as repúblicas holandesas e uma série de Estados alemães. Os países protestantes eram apoiados pelos reis da França, adversários dos Habsburgo. A Alemanha tornou-se a principal arena dessa guerra e alvo das pretensões territoriais dos participantes. O conflito terminou em 1648, com a conclusão do Tratado de Vestfália, que confirmou o fracionamento político da Alemanha. (N. E. R.)

23 Friedrich Engels, *Anti-Dühring*, cit., p. 212.

Estado proletário (pela ditadura do proletariado) pela via do "definhamento", mas apenas, como regra geral, por meio da revolução violenta. O panegírico que lhe consagra Engels, e que está plenamente de acordo com as reiteradas declarações de Marx (recordemos o fim de *Miséria da filosofia*[24] e *Manifesto Comunista*[25], com a declaração orgulhosa e aberta da inevitabilidade da revolução violenta; recordemos a crítica do Programa de Gotha de 1875[26], de quase trinta anos depois, em que Marx malha implacavelmente o oportunismo desse programa), não é de modo nenhum "entusiasmo", de modo nenhum declamação, tampouco tirada polêmica. A necessidade de educar sistematicamente as massas *em tal* e precisamente em tal aspecto da revolução violenta está na base de *toda a* doutrina de Marx e Engels. A traição à sua doutrina pelas correntes social-chauvinista e kautskiana atualmente dominantes exprime-se com especial relevo no esquecimento *de tal* propaganda, de tal agitação – tanto por parte de uns quanto por parte de outros.

A substituição do Estado burguês pelo proletário é impossível sem a revolução violenta. A extinção do Estado proletário, ou seja, a extinção de todo o Estado, é impossível de outro modo senão por meio de seu "definhamento".

Marx e Engels ofereceram desenvolvimento detalhado e concreto desses aspectos ao estudar cada situação revolucionária específica, ao analisar as lições da experiência de cada revolução específica. Passemos, pois, aos ensinamentos dessa parte de sua doutrina, sem dúvida a mais importante.

---

24 Karl Marx, *Miséria da filosofia* (trad. José Paulo Netto, São Paulo, Boitempo, 2017), p. 147.

25 Friedrich Engels e Karl Marx, *Manifesto Comunista* (2. ed., trad. Álvaro Pina, São Paulo, Boitempo, 2010), p. 42.

26 Programa do Partido Socialista Operário da Alemanha, aprovado em 1875 no Congresso de Gotha após a união dos dois partidos socialistas até então separados – os lassallianos e os eisenachianos (liderados por Bebel e Liebknecht e inspirados nas ideias de Marx e Engels). Os eisenachianos fizeram concessões aos lassallianos em questões fundamentais e adotaram as formas destes. Marx, no trabalho *Crítica do Programa de Gotha*, e Engels, na carta a August Bebel de 18-28 de março de 1875, criticaram duramente o programa de Gotha, considerando-o um significativo passo para trás em comparação ao programa eisenachiano de 1869; ver *Crítica do Programa de Gotha* (trad. Rubens Enderle, São Paulo, Boitempo, 2012). (N. E. R. A.)

CAPÍTULO 2
O ESTADO E A REVOLUÇÃO.
A EXPERIÊNCIA DOS ANOS 1848-1851

1. AS VÉSPERAS DA REVOLUÇÃO

As primeiras obras do marxismo maduro, *Miséria da filosofia* e *Manifesto Comunista*, datam precisamente da véspera da Revolução de 1848. Diante dessa circunstância, ao lado da exposição dos fundamentos gerais do marxismo, temos, até certa medida, um reflexo da situação revolucionária concreta de então; por isso, o mais racional seria, talvez, examinar o que os autores dessas obras disseram acerca do Estado, imediatamente antes de suas conclusões sobre a experiência dos anos 1848-1851. Escreve Marx em *Miséria da filosofia*:

> No curso de seu desenvolvimento, a classe laboriosa substituirá a antiga sociedade civil {sociedade burguesa} por uma associação que excluirá as classes e seu antagonismo, e não haverá mais poder político propriamente dito, já que o poder político é justamente o resumo oficial do antagonismo na sociedade civil {sociedade burguesa}. (ed. alemã, 1885, p. 182.)[1]

É instrutivo comparar essa exposição geral sobre a ideia do desaparecimento do Estado após a extinção das classes com a exposição dada por escrito por Marx e Engels alguns meses depois – mais precisamente, em novembro de 1847 –, no *Manifesto Comunista*:

---

1 Karl Marx, *Miséria da filosofia* (trad. José Paulo Netto, São Paulo, Boitempo, 2017), p. 147. O termo entre chaves foi o utilizado na tradução de Lênin para o russo. (N. E.)

46 O ESTADO E A REVOLUÇÃO

Esboçando em linhas gerais as fases do desenvolvimento proletário, descreve-mos a história da guerra civil mais ou menos oculta na sociedade existente, até a hora em que essa guerra explode numa revolução aberta e o proletariado estabelece sua dominação pela derrubada violenta da burguesia. [...]
Vimos antes que a primeira fase da revolução operária é a elevação[2] do proletariado a classe dominante, a conquista da democracia.
O proletariado usará sua supremacia política para arrancar pouco a pouco todo o capital da burguesia, para centralizar todos os instrumentos de produção nas mãos do Estado, isto é, do proletariado organizado como classe dominante, e para aumentar o mais rapidamente possível o total das forças produtivas. (7. ed. alemã, 1906, p. 31 e 37.)[3]

Vemos aqui a formulação de uma das ideias mais notáveis e importantes do marxismo em matéria de Estado, que é precisamente a da "ditadura do proletariado" (como começaram a dizer Marx e Engels após a Comuna de Paris)[4], e em seguida uma definição interessante de Estado, a qual pertence também ao número das "palavras esquecidas" do marxismo. *"O Estado, isto é, o proletariado organizado como classe dominante."*

Essa definição do Estado não apenas nunca foi esclarecida pela literatura de propaganda e de agitação dominante dos partidos social-democratas oficiais. Mais que isso. Foi esquecida, justamente por ser completamente inconciliável com o reformismo, é uma bofetada na cara dos preconceitos oportunistas de sempre e das ilusões filistinas quanto ao "desenvolvimento pacífico da democracia".

---

2 Lênin traduziu essa ideia por "passagem", embora acrescente: "(Ao pé da letra: elevação)". (N. E. P.)

3 Friedrich Engels e Karl Marx, *Manifesto Comunista* (trad. Álvaro Pina, São Paulo, Boitempo, 2010), p. 50 e 57.

4 No trabalho *O marxismo sobre o Estado*, encontra-se a seguinte anotação de Lênin: "Vá procurar, teriam Marx e Engels falado sobre a 'ditadura do proletariado' antes de 1871? Parece que não!". *Сочинения/ Sotchinénia* (5. ed.), v. 33, p. 159. Em *O Estado e a revolução*, Lênin, ao que parece, não responde a essa questão. Sobre a carta de Marx a Weydemeyer, Lênin teria sabido mais tarde, quando o livro já havia sido publicado. Na última página do exemplar da primeira publicação de *O Estado e a revolução* pertencente a Lênin, encontra-se a seguinte anotação em alemão: "'Neue Zeit' (XXV, v. 2, p. 164), 1906-1907, n. 31 (2. v. 1907): F.[ranz] Mehring: 'Novos materiais e biografias de K.[arl] Marx e F.[riedrich] Engels', da carta de Marx e Weydemeyer de 5 III 1852", e a seguir há uma cópia da carta em questão, que trata da ditadura do proletariado.
Lênin apresentou o complemento correspondente na segunda edição do livro *O Estado e a revolução*, de 1919 (ver p. 56 deste volume). (N. E. R.)

O proletariado precisa do Estado – isso é algo que repetem todos os oportunistas, os sociais-chauvinistas e os kautskistas, assegurando que essa é a doutrina de Marx e "esquecendo-se" de acrescentar que, em primeiro lugar, segundo Marx, o proletariado só precisa de um Estado em definhamento, ou seja, constituído de modo que comece imediatamente a definhar e não possa deixar de definhar. Em segundo lugar, os trabalhadores necessitam de um "Estado", "isto é, o proletariado organizado como classe dominante".

O Estado é a organização especial do poder, é a organização da violência para a repressão de uma classe qualquer. Qual é, então, a classe que o proletariado deve reprimir? Certamente, apenas a dos espoliadores, ou seja, a burguesia. Os trabalhadores precisam do Estado apenas para reprimir a resistência dos espoliadores e dirigir essa repressão, trazê-la à vida; apenas o proletariado está em condições de fazer isso, como única classe revolucionária até ao fim, única classe capaz de unir todos os trabalhadores e explorados na luta contra a burguesia, por seu completo afastamento.

As classes espoliadoras precisam do domínio político nos interesses da manutenção da espoliação, ou seja, nos interesses egoístas de uma minoria insignificante contra a imensa maioria do povo. As classes espoliadas precisam do domínio político em nome do interesse da completa extinção de toda a espoliação, ou seja, do interesse da imensa maioria do povo contra a minoria insignificante dos escravistas contemporâneos, ou seja, os latifundiários e os capitalistas.

Os democratas pequeno-burgueses, esses supostos socialistas, ao substituir a luta de classes pelos sonhos de um acordo entre as classes, representavam a própria transformação socialista de modo sonhador, não sob a forma da derrubada do domínio da classe espoliadora, mas sob a forma da submissão pacífica da minoria à maioria consciente de suas tarefas. Essa utopia pequeno-burguesa, indissociavelmente ligada ao reconhecimento de um Estado colocado acima das classes, conduzia na prática à traição dos interesses das classes trabalhadoras, como mostrou, por exemplo, a história das revoluções francesas de 1848 e 1871, como mostrou a experiência da participação "socialista" em ministérios burgueses na Inglaterra, na França, na Itália e em outros países no fim do século XIX e no princípio do século XX[5].

Marx lutou durante toda a vida contra esse socialismo pequeno-burguês ressuscitado hoje na Rússia pelos partidos dos SRs e dos mencheviques. Marx levou a doutrina da luta de classes de modo consequente até a doutrina do poder político, do Estado.

O derrubamento do domínio da burguesia é possível apenas pelo proletariado, como classe específica, cujas condições econômicas de existência lhe dão a possibilidade e a força para realizar esse derrubamento. Ao mesmo tempo que a burguesia fraciona e pulveriza o campesinato e todas as camadas pequeno-burguesas, ela unifica, integra, organiza o proletariado. Só o proletariado – em razão de seu papel econômico na grande produção – é capaz de ser o chefe de *todas* as massas trabalhadoras e massas espoliadas que a burguesia espolia, oprime e esmaga, na maioria das vezes não com menos forças que os proletários, mas com mais, uma vez que são incapazes de uma luta *independente* por sua emancipação.

A doutrina da luta de classes aplicada por Marx à questão do Estado e da revolução socialista conduz necessariamente ao reconhecimento do *domínio político* do proletariado, de sua ditadura, ou seja, de um poder não partilhado com ninguém e que se apoia diretamente na força armada das massas. O derrubamento da burguesia só pode ser realizado pela transformação do proletariado em *classe dominante* capaz de reprimir a resistência inevitável, desesperada, da burguesia e de organizar para um novo regime de economia *todas* as massas trabalhadoras e espoliadas.

---

5 Em fins do século XIX e no início do século XX, os círculos dirigentes da burguesia de uma série de países convidaram dirigentes reformistas dos partidos socialistas a fazer parte de governos. Na Inglaterra, em 1892, foi eleito para o parlamento John Burns; na França, em 1899, o socialista Étienne Alexandre Millerand entrou para o governo de Pierre Waldeck-Rousseau, do grupo autodenominado "republicano moderado" (dito "oportunista" pelos opositores). Lênin caracterizou o millerandismo como apostasia e revisionismo. Na Itália, os partidários mais abertos da colaboração com o governo, como Leonida Bissolati e Ivanoe Bonomi, foram expulsos do Partido Socialista em 1912. Durante a Primeira Guerra Mundial, dirigentes de partidos social-democratas assumiram posições social-chauvinistas e entraram para os governos burgueses de seus países. Lênin trata disso numa série de obras, especialmente no artigo "Целый десяток 'социалистических' министров"/ "Tseli dessiatok 'sotsialistítcheskikh' ministrov" [Uma dezena de ministros "socialistas"]. (N. E. R. A.)

O proletariado necessita do poder de Estado, de uma organização centralizada da força, de uma organização da violência tanto para reprimir a resistência dos espoliadores como para *dirigir* a imensa massa da população, o campesinato, a pequena-burguesia, os semiproletários, na prática da "organização" da economia socialista.

Ao educar o partido operário, o marxismo educa a vanguarda do proletariado, capaz de tomar o poder e de *conduzir todo o povo* ao socialismo, de dirigir e de organizar uma nova ordem, de ser o educador, o dirigente e o chefe de todos os trabalhadores e todos os espoliados na prática da construção de sua vida social sem a burguesia e contra a burguesia. De modo contrário, o oportunismo hoje dominante educa no partido operário representantes dos trabalhadores mais bem pagos, destacados da massa, que se "arranjam" bastante bem no capitalismo, que vendem seu direito de primogenitura por um prato de lentilha, ou seja, renunciam ao papel de chefes revolucionários do povo contra a burguesia.

"O Estado, isto é, o proletariado organizado como classe dominante" – esta teoria de Marx está ligada indissociavelmente a toda sua doutrina sobre o papel revolucionário do proletariado na história. O remate desse papel é a ditadura proletária, o domínio político do proletariado.

Mas, se o proletariado precisa do Estado como poder repressor específico *contra* a burguesia, daqui impõe-se por si uma conclusão: será concebível a criação de tal organização sem a extinção prévia, sem a destruição daquela máquina do Estado que a burguesia criou *para si própria*? É a essa conclusão que conduz diretamente o *Manifesto Comunista* e é dessa conclusão que Marx fala quando faz o balanço da experiência da Revolução de 1848-1851.

2. O BALANÇO DA REVOLUÇÃO

Quanto à questão do Estado, que é a que nos interessa, Marx faz o balanço da Revolução de 1848-1851 no seguinte raciocínio da obra *O 18 de brumário de Luís Bonaparte*:

Porém, a revolução é radical. Ela ainda está percorrendo o purgatório. Exerce seu mister com método. Até o 2 de dezembro de 1851 (dia da realização do golpe de Estado de Luís Bonaparte), ela absolvera metade dos seus preparativos; agora ela se encontra na outra metade. Primeiro fez com que o Parlamento chegasse ao auge do seu poder para então derrubá-lo. Tendo conseguido isso, ela passa a fazer com que o *Poder Executivo* chegue ao seu auge, reduzindo-o à sua expressão mais pura, isolando-o, colocando-o diante dos seus olhos como pura acusação para *concentrar nele todas as suas forças de destruição* (grifo nosso). E quando ela tiver consumado essa segunda metade dos seus trabalhos preparatórios, a Europa se porá em pé e exultará: bem cavoucado, velha toupeira![6]

Esse Poder Executivo, com sua monstruosa organização burocrática e militar, com sua máquina multifacetada e artificiosa, esse exército de funcionários de meio milhão de pessoas somado a um exército regular de mais meio milhão, essa terrível corporação de parasitas, que envolve o organismo da sociedade francesa como uma membrana e entope todos os seus poros, surgiu no tempo da monarquia absoluta, na época da decadência do sistema feudal, para cuja aceleração contribuiu.[7]

A primeira Revolução Francesa desenvolveu a centralização "e, com ela, o raio de ação, os atributos e os servidores do poder governamental. Napoleão aperfeiçoou essa máquina de Estado". A monarquia legítima e a Monarquia de Julho "nada acrescentaram além de uma maior divisão do trabalho".

A república parlamentar, por fim, na sua luta contra a revolução, viu-se obrigada a reforçar os meios e a centralização do poder do governo para implementar as medidas repressivas. *Todas as revoluções aperfeiçoaram a máquina em vez de quebrá-la* (grifo nosso). Os partidos qué lutaram alternadamente pelo poder consideraram a tomada de posse desse monstruoso edifício estatal como a parte do leão dos despojos do vencedor. (*O 18 de brumário de Luís Bonaparte*, 4. ed., Hamburgo, 1907, p. 98-9.)[8]

---

6   Segundo a edição inglesa de *O 18 de brumário de Luís Bonaparte*, trata-se de uma paráfrase de uma frase de *Hamlet*, de William Shakespeare: "*Well said, old mole!*". (N. E.)

7   Karl Marx, *O 18 de brumário de Luís Bonaparte* (trad. Nélio Schneider, São Paulo, Boitempo, 2011), p. 140.

8   Ibidem, p. 141.

Neste notável raciocínio, o marxismo dá um enorme passo adiante em comparação com o *Manifesto Comunista*. Ali, a questão do Estado ainda é exposta de maneira extremamente abstrata, nos conceitos e nas expressões mais gerais. Aqui, a questão é posta de maneira concreta, e a conclusão é extraordinariamente precisa, definida, praticamente tangível: todas as revoluções anteriores aperfeiçoavam a máquina do Estado, mas é preciso destruí-la, quebrá-la.

Essa conclusão é o principal, o fundamental na doutrina do marxismo sobre o Estado. E esse fundamento não só foi completamente *esquecido* pelos partidos social-democratas oficiais dominantes, como também francamente *deturpado* (como veremos adiante) pelo teórico mais destacado da Segunda Internacional, K.[arl] Kautsky.

No *Manifesto Comunista*, faz-se o balanço geral da história, que obriga a ver no Estado o órgão de dominação de classe e conduz à conclusão necessária de que o proletariado não pode derrubar a burguesia sem ter conquistado antes o poder político, sem ter alcançado a dominação política e sem ter transformado o Estado em "proletariado organizado como classe dominante", e de que esse Estado proletário começará a definhar logo após sua vitória, porque, numa sociedade sem contradições de classe, o Estado é desnecessário e impossível. Aqui não se apresenta a questão de como deve ser – do ponto de vista do desenvolvimento histórico – essa substituição do Estado burguês pelo proletário.

É justamente essa questão que Marx expõe e resolve em 1852. Fiel a sua filosofia do materialismo dialético, Marx toma como base a experiência histórica dos grandes anos da revolução: 1848-1851. Também aqui a doutrina de Marx – como sempre – é um *balanço da experiência* iluminado por uma profunda visão filosófica do mundo e um rico conhecimento da história.

A questão do Estado é posta de maneira concreta: como surgiu historicamente o Estado burguês, a máquina de Estado necessária à dominação da burguesia? Quais foram suas transformações, qual foi sua evolução no decurso das revoluções burguesas e diante das intervenções autônomas das classes oprimidas? Quais são as tarefas do proletariado em relação a essa máquina de Estado?

O poder de Estado centralizado, próprio da sociedade burguesa, surgiu na época da queda do absolutismo. As duas instituições mais características dessa máquina de Estado são: a burocracia e o exército permanente. Nas obras de Marx e Engels, fala-se repetidas vezes sobre como mil laços ligam essas instituições precisamente à burguesia. A experiência de cada operário ilustra essa ligação com uma evidência e um relevo extraordinários. A classe operária aprende a sentir essa ligação na própria pele – eis por que capta tão facilmente e assimila tão solidamente a ciência da inevitabilidade dessa ligação, a ciência que os democratas pequeno-burgueses ou negam por ignorância e por leviandade, ou, ainda mais levianamente, reconhecem "no geral", esquecendo-se de tirar as conclusões práticas correspondentes.

A burocracia e o exército permanente são "parasitas" no corpo da sociedade burguesa, um parasita gerado pelas contradições internas, que dilaceram essa sociedade, mas justamente um parasita que "obstrui" os poros vitais. O oportunismo kautskista hoje dominante na social-democracia oficial considera que essa concepção do Estado como *organismo parasitário* é um atributo particular e exclusivo do anarquismo. É evidente que essa deturpação do marxismo é extraordinariamente vantajosa para os filisteus, que conduziram o socialismo à vergonha sem precedentes de justificar e embelezar a guerra imperialista por meio da aplicação a ela do conceito de "defesa da pátria", mas tudo isso é uma deturpação incontestável.

Em todas as revoluções burguesas que a Europa viu várias vezes desde os tempos da queda do feudalismo, segue-se o desenvolvimento, o aperfeiçoamento, a consolidação desse aparelho burocrático e militar. Em particular, é precisamente a pequena burguesia que é atraída para o lado da grande e é a ela submetida em grau significativo por meio desse aparelho, que dá às camadas superiores do campesinato, dos pequenos artesãos, dos comerciantes, e assim por diante, lugarzinhos relativamente cômodos, tranquilos e honrosos, que colocam seus detentores *acima* do povo. Considere-se o que aconteceu na Rússia durante o meio ano que se seguiu a 27 de fevereiro de 1917[9]: os

---

9   Com a segunda revolução democrática burguesa da Rússia, em 27 de fevereiro (12 de março) de 1917, foi derrubada a autocracia tsarista e formado o governo provisório burguês. Lênin o caracterizou

espaços burocráticos que antes eram dados de preferência aos Cem-Negros[10] tornaram-se objeto de caça dos KDs (democratas-constitucionalistas)[11], dos mencheviques e dos SRs. No fundo, não se pensava em quaisquer reformas sérias, procurando-se adiá-las "até a Assembleia Constituinte" – e adiar a Assembleia Constituinte pouco a pouco até o fim da guerra! Mas, para a partilha da presa, para que os lugarzinhos de ministros, de vice-ministros, de governadores-gerais etc. etc. fossem ocupados, não perderam tempo nem esperaram por nenhuma Assembleia Constituinte! O jogo das combinações em relação à composição do governo era, no fundo, apenas a expressão dessa distribuição e dessa redistribuição da "presa" que se fazia tanto em cima como embaixo, em todo o país, em todas as administrações centrais e locais. O balanço, o balanço objetivo de meados do ano, de 27 de fevereiro a 27 de agosto de 1917, é incontestável: as reformas são adiadas, realizou-se a distribuição dos lugarzinhos dos burocratas e os "erros" da distribuição foram corrigidos com algumas redistribuições.

Mas quanto mais se procede às "redistribuições" do aparelho burocrático entre os diversos partidos burgueses e pequeno-burgueses (entre os KDs, os SRs e os mencheviques, para citar o exemplo russo), mais claro se torna para as classes oprimidas, com o proletariado à frente, sua hostilidade irredutível em relação a *toda* a sociedade burguesa. Daí a necessidade que todos os partidos burgueses, mesmo os mais democráticos e "revolucionário-democráticos" entre eles, têm de reforçar a repressão contra o proletariado revolucionário,

em "Esboço das teses de 4 (17) de março de 1917", *Cartas de longe* (ver Vladímir Ilitch Lênin, *Obras escolhidas*, Lisboa/Moscou, Avante!/Progresso, 1985, t. 3, p. 78-119) e outros trabalhos.

10 Também conhecidos, em português, como Centenas-Negras ou Centúrias-Negras. (N. E.)
Membros de organizações monárquicas pogromistas em 1905-1917, criadas para a luta contra o movimento revolucionário. (N. E. P.)

11 Membros do Partido Constitucional-Democrata (ou "Partido da Liberdade do Povo"), principal partido da burguesia liberal monárquica da Rússia, também conhecidos como *kadets*. Foi fundado em outubro de 1905, e dele faziam parte elementos da burguesia, latifundiários dos *zemstvos* e intelectuais. Durante a Primeira Guerra Mundial, apoiaram a política externa do governo tsarista. Na Revolução de Fevereiro, setores do partido tentaram salvar a monarquia. Já a ala republicana que detinha posições no governo provisório burguês aplicou uma política contrarrevolucionária. Depois da Revolução Socialista de Outubro, tornaram-se inimigos irreconciliáveis do poder soviético e acabaram emigrando. (N. E. R. A.)

de consolidar o aparelho de repressão, ou seja, a própria máquina de Estado. Esse curso dos acontecimentos obriga a revolução a "*concentrar todas as suas forças de destruição*" contra o poder de Estado, obriga a colocar não a tarefa da melhora da máquina de Estado, mas a de sua *destruição*, de sua *extinção*.

Não foram raciocínios lógicos, e sim o desenvolvimento real dos acontecimentos, a experiência viva dos anos 1848-1851, que levaram a tarefa a ocorrer assim. Até que ponto Marx se atém estritamente à experiência histórica é algo que se vê pelo fato de que em 1852 não se mostra ainda de maneira concreta a questão de *pelo que* substituir a máquina de Estado que deve ser extinta. A experiência ainda não tinha dado, então, materiais para tal questão, apresentada na ordem do dia pela história mais tarde, em 1871. Em 1852, apenas se podia constatar, com a precisão da observação própria da história natural, que a revolução proletária *se aproximou* da tarefa de "concentrar todas as suas forças de destruição" contra o poder de Estado, da tarefa de "quebrar" a máquina de Estado.

Aqui pode surgir a questão da justeza de generalizar a experiência, as observações e as conclusões de Marx, transplantá-las para limites mais amplos do que a história da França durante três anos, 1848-1851. Para analisar essa questão, em primeiro lugar nos lembraremos de uma observação de Engels; depois, passaremos aos fatos.

Escrevia Engels no prefácio à terceira edição de *O 18 de brumário*[12]:

> Mais do que qualquer outro, a França é o país em que cada uma das lutas de classe históricas foi travada até a decisão final e em que, em consequência disso, também as formas políticas alternantes, no âmbito das quais essas lutas se deram e os seus resultados se sintetizaram, assumiram contornos bem mais nítidos. Sendo o centro do feudalismo na Idade Média, país-modelo da monarquia estamental unificada desde a Renascença, a França destroçou o feudalismo na grande revolução e fundou o domínio puro da burguesia de uma maneira tão clássica como não se viu em nenhum outro país europeu. Mas também a luta do proletariado ascendente contra a burguesia dominante se expressa aqui de uma forma aguda, desconhecida em outras partes. (ed. de 1907, p. 4.)[13]

---

12 Escrito por Engels em 1885 – portanto, depois dos acontecimentos de 1871 na França. (N. E.)

13 Karl Marx, *O 18 de brumário de Luís Bonaparte*, cit., p. 21-2.

A última observação envelheceu, na medida em que, a partir de 1871, começou uma interrupção na luta revolucionária do proletariado francês, embora essa interrupção, por mais longa que seja, não exclua de maneira nenhuma a possibilidade de que, na revolução proletária do futuro, a França se revele como o país clássico da luta de classes até a decisão final.

Mas lancemos um olhar geral à história dos países avançados no fim do século XIX e no início do XX. Veremos que esse mesmo processo operou mais lentamente, sob as mais variadas formas, numa arena muito mais ampla: por um lado, a elaboração de um "poder parlamentar" tanto nos países republicanos (França, Estados Unidos da América, Suíça) quanto nos monárquicos (Inglaterra, Alemanha até certo ponto, Itália, países escandinavos etc.); por outro lado, a luta pelo poder entre os diversos partidos burgueses e pequeno-burgueses que distribuíam e redistribuíam a "presa" dos lugarzinhos burocráticos, deixando imutáveis os fundamentos da ordem burguesa; e, finalmente, o aperfeiçoamento e a consolidação do "Poder Executivo", de seu aparelho burocrático e militar.

Não há nenhuma dúvida de que são esses os traços comuns de toda a evolução moderna dos Estados capitalistas em geral. Em três anos, 1848--1851, a França mostrou de forma rápida, brusca e concentrada os mesmos processos de desenvolvimento que são próprios de todo o mundo capitalista.

Em particular, o imperialismo, época do capital bancário, época dos gigantescos monopólios capitalistas, época de transformação do capitalismo monopolista em capitalismo monopolista de Estado, mostra o reforço extraordinário da "máquina de Estado", o crescimento inaudito de seu aparelho burocrático e militar em ligação com o reforço da repressão contra o proletariado, tanto nos países monárquicos quanto nos países republicanos mais livres.

A história mundial conduz agora, inevitavelmente, numa escala incomparavelmente mais ampla que em 1852, à "concentração de todas as forças" da revolução proletária para a "destruição" da máquina de Estado.

Pelo que a substituirá o proletariado, a Comuna de Paris deu o material mais instrutivo.

3. A EXPLANAÇÃO DE MARX DE 1852[14]

Mehring publicou em 1907, na revista *Neue Zeit*[15] (v. XXV, n. 2, p. 164)[16], trechos da correspondência de Marx a Weydemeyer de 5 de março de 1852. Nessa carta se encontra, entre outras coisas, o seguinte raciocínio notável:

> No que se refere a mim, não me cabe o mérito de haver descoberto nem a existência das classes, nem a luta entre elas. Muito antes de mim, historiadores burgueses já haviam descrito o desenvolvimento histórico dessa luta entre as classes, e economistas burgueses haviam indicado sua anatomia econômica. O que eu trouxe de novo foi: 1) demonstrar que a existência das classes está ligada somente a determinadas fases de desenvolvimento da produção (*historische Entwicklungsphasen der Produktion*[17]); 2) que a luta de classes conduz, necessariamente, à ditadura do proletariado; 3) que essa ditadura nada mais é que a transição para a abolição de todas as classes e para uma sociedade sem classes.[18]

Nessas palavras, Marx conseguiu exprimir com surpreendente relevo, em primeiro lugar, a diferença principal e radical entre sua doutrina e a doutrina dos pensadores avançados e mais profundos da burguesia; em segundo lugar, a essência de sua doutrina sobre o Estado.

O principal na doutrina de Marx é a luta de classes. É o que se diz e se escreve muito frequentemente. Mas é incorreto. E dessa incorreção muitas vezes resulta uma deturpação oportunista do marxismo, sua falsificação num espírito aceitável para a burguesia. Isso porque a doutrina da luta de classes foi criada *não* por Marx, *mas* pela burguesia *antes* de Marx, e, falando

---

14 Acrescentado na segunda edição. (N. E. P.)

15 Revista teórica do Partido Social-Democrata da Alemanha, publicada em Stuttgart entre 1883 e 1923. Até outubro de 1917, foi dirigida por Karl Kautsky; depois, por Heinrich Cunow. Na *Die Neue Zeit*, foram publicadas pela primeira vez algumas obras de Marx e de Engels. Esse último deu conselhos à redação da revista, mas frequentemente a criticou. A partir da segunda metade da década de 1890, a revista publicou artigos dos revisionistas, entre eles a série "Problemas do socialismo", de Bernstein. Durante a Primeira Guerra Mundial, adotou uma posição centrista. (N. E. R. A.)

16 Franz Mehring, "Neue Beitrag Zur Biographic von Karl Marx und Friedrich Engels", *Die Neue Zeit*, v. 25, n. 2, 1907.

17 Em alemão, no original de Lênin. (N. E. R.)

18 Karl Marx, Carta a Weydemeyer, em *Obras escolhidas de Marx e Engels* (Lisboa, Avante!, 1985), t. 1, p. 253-4.

de modo geral, é *aceitável* para a burguesia. Quem reconhece *apenas* a luta de classes ainda não é marxista, pode estar restrito aos limites do pensamento burguês e da política burguesa. Limitar o marxismo à doutrina da luta de classes significa restringir o marxismo, deturpá-lo, reduzi-lo ao que é aceitável para a burguesia. Só é marxista aquele que *expande* o reconhecimento da luta de classes até o reconhecimento da *ditadura do proletariado*. Nisso reside a diferença mais profunda entre o marxista e o vulgar pequeno--burguês (e também o grande). É nessa pedra de toque que é preciso experimentar a compreensão e o reconhecimento *verdadeiros* do marxismo. E não é de estranhar que, quando a história da Europa colocou a classe operária *na prática* diante dessa questão, não apenas todos os oportunistas e os reformistas, mas também todos os "kautskistas" (pessoas que vacilam entre o reformismo e o marxismo), tenham se revelado lamentáveis filisteus e democratas pequeno-burgueses que *negam* a ditadura do proletariado. A brochura de Kautsky *A ditadura do proletariado*[19], publicada em agosto de 1918, ou seja, muito tempo depois da primeira edição do presente livrinho, é um modelo de deturpação filistina do marxismo e de sua infame renegação *de fato*, simultaneamente com seu reconhecimento hipócrita *em palavras* (ver meu texto *A revolução proletária e o renegado Kaustky*, Petrogrado e Moscou, 1918[20]).

O oportunismo contemporâneo na pessoa de seu principal representante, o ex-marxista K.[arl] Kautsky, cabe perfeitamente na caracterização da posição *burguesa* em Marx, porque esse oportunismo limita o domínio do reconhecimento da luta de classes ao domínio das relações burguesas. (E, dentro desse domínio, em seus limites, não existe um único liberal instruído que se recuse a reconhecer "em princípio" a luta de classes!) O oportunismo *não estende* o reconhecimento da luta de classes exatamente ao mais essencial, ao período de *transição* do capitalismo para o comunismo, ao período da derrubada da burguesia e de sua completa *extinção*. Na realidade, esse

---

19 Karl Kautsky, *A ditadura do proletariado* (trad. Eduardo Sucupira Filho, São Paulo, Ciências Humanas, 1979). (N. E.)

20 Ver Vladímir Ilitch Lênin, *Obras escolhidas*, cit., t. 4, p. 10-93. (N. E. P.)

período é, inevitavelmente, de encarniçada e sem precedentes luta de classes, sem precedentes na agudeza de suas formas; consequentemente, o Estado desse período deve necessariamente ser um Estado democrático *de uma maneira nova* (para proletários e despossuídos em geral) e ditatorial *de uma maneira nova* (contra a burguesia).

Mais. A essência da doutrina de Marx sobre o Estado só foi assimilada pelos que compreenderam que a ditadura de *uma única* classe é necessária não apenas para qualquer sociedade de classes em geral, não só para o *proletariado* que derrubou a burguesia, mas também para a totalidade do *período histórico* que separa o capitalismo da "sociedade sem classes", do comunismo. As formas dos Estados burgueses são extraordinariamente variadas, mas sua essência é apenas uma: em última análise, todos esses Estados são, de uma maneira ou de outra, obrigatoriamente, uma *ditadura da burguesia*. A transição do capitalismo para o comunismo, está claro, não pode deixar de dar enorme profusão e variedade de formas políticas, mas sua essência será inevitavelmente uma só: *a ditadura do proletariado*[21].

---

21 Lênin primeiro se manifestou sobre as diferentes formas da ditadura do proletariado em 1916, no artigo "О карикатуре на марксизм и об 'империалистическом экономизме'"/ "O karikature na marksizm i ob 'imperialístitcheskom ekonomizme'" [Sobre a caricatura do marxismo e o "economicismo imperialista"], dirigido contra Piátakov. O texto só foi à luz em 1924. Lênin escreveu: "Todas as nações chegarão ao socialismo, isso é inevitável, mas chegarão não exatamente do mesmo modo, cada um trará sua particularidade em uma ou outra forma de democracia, em um ou outro tipo de ditadura do proletariado, em um ou outro ritmo das diferentes faces das transformações socialistas da vida social. Não há teoria mais miserável e prática mais ridícula que 'em nome do materialismo histórico' desenhar para si o futuro dessa relação com tinta monocromática cinza". Ver *Sotchinénia* (5. ed.), v. 30, p. 123.
A seguir, assinalou que muitas formas de ditadura do proletariado podem surgir a partir de passagens diferentes do poder para as mãos da classe trabalhadora e, especificamente, de condições socioeconômicas e políticas nos diferentes países. Assim, no artigo "Экономика и политика в эпоху диктатуры пролетариата"/ "Ekonomika i politika v epokhu diktaturi proletariata" [Economia e política na época da ditadura do proletariado], de 1919, Lênin caracteriza o poder soviético como uma forma estatal de ditadura do proletariado, que reflete as particularidades do desenvolvimento histórico da Rússia. Ver *Sotchinénia* (4. ed.), v. 30, p. 87-96.
Seguindo esse raciocínio, formas distintas de ditadura do proletariado acabaram sendo implantadas décadas após a morte de Lênin em países da Ásia, da África e do sudeste e do centro da Europa. Escreveu Lênin em "О нашей революции"/ "O nachei revoliútsi" [Sobre a nossa revolução], de 1923: "As revoluções que se seguirão nos países do leste com populações muito mais ricas e com condições sociais muito mais variadas vão se apresentar, sem dúvidas, com mais particularidades que a Revolução Russa". *Sotchinénia* (4. ed.), v. 33, p. 439. (N. E. R. A.)

CAPÍTULO 3

O ESTADO E A REVOLUÇÃO.
A EXPERIÊNCIA DA COMUNA DE PARIS DE 1871.
A ANÁLISE DE MARX

1. EM QUE CONSISTE O HEROÍSMO DA TENTATIVA DOS *COMMUNARDS*[1]?

Sabe-se que, alguns meses antes da Comuna, no outono de 1870, Marx preveniu os operários parisienses, provando que a tentativa de derrubar o governo seria uma loucura do desespero[2]. Mas, em março de 1871, quando *se impôs* aos operários a batalha decisiva e eles a aceitaram, quando a insurreição se tornou fato, Marx saudou com o maior entusiasmo a revolução proletária, apesar dos maus presságios. Marx não se obstinou na condenação pedante de um movimento "extemporâneo", como o tristemente célebre renegado russo do marxismo, Plekhánov, que em novembro de 1905 escreveu encorajando a luta dos operários e dos camponeses, mas que, após dezembro de 1905, gritava, à maneira dos liberais: "Não era preciso ter pegado em armas"[3].

---

1 Participantes da Comuna de Paris de 1871. (N. E. P.)

2 Trata-se da "Segunda mensagem do conselho geral sobre a Guerra Franco-Prussiana. Aos membros da Associação Internacional dos Trabalhadores na Europa e nos Estados Unidos", escrita por Marx entre 6 e 9 de setembro de 1870 em Londres. (N. E. R.)
Em Karl Marx, *A guerra civil na França* (trad. Rubens Enderle, São Paulo, Boitempo, 2011), p. 27-34.

3 Essas afirmações de Plekhánov estão nos artigos "Наше положение"/ "Nache polojenie" [Nossa situação] e "Еще о нашем положении (Письмо к товарищу X))"/ "Eschió o nachem polojiéni (Pismó

60   O ESTADO E A REVOLUÇÃO

Marx, porém, não apenas se entusiasmou com o heroísmo dos *communards*, "obstinados do céu", segundo sua expressão[4]. No movimento revolucionário das massas, ainda que este não tenha atingido seu objetivo, via uma experiência histórica de enorme importância, algo como um passo em direção à revolução proletária mundial, um passo prático mais importante que centenas de programas e de raciocínios. Analisar essa experiência, tirar dela lições de tática, rever na base dela sua teoria – eis como Marx apresentou sua tarefa.

A única "correção" que Marx julgou imprescindível no *Manifesto Comunista* foi feita por ele com base na experiência revolucionária dos *communards* parisienses.

O último prefácio à nova edição alemã do *Manifesto Comunista*, assinado por ambos os autores, é datado de 24 de junho de 1872. Nele, Karl Marx e Friedrich Engels dizem que o programa do *Manifesto Comunista* está, "em certos detalhes", "antiquado". Prosseguem: "Mais ainda na Comuna de Paris [...], 'não basta que a classe trabalhadora se apodere da máquina estatal para fazê-la servir a seus próprios fins'"[5].

Colocadas entre aspas duas vezes, as palavras dessa citação foram tiradas por seus autores da obra de Marx *A guerra civil na França*.

Assim, em 1872, Marx e Engels consideravam que uma das lições principais e fundamentais da Comuna de Paris tinha uma importância tão gigantesca que a introduziram como correção essencial ao *Manifesto Comunista*.

É extraordinariamente característico que logo essa correção essencial tenha sido deturpada pelos oportunistas, e certamente nove em dez, senão noventa e nove em cem, leitores do *Manifesto Comunista* ignoram seu sentido.

---

k tovarischu X)" [Mais uma vez sobre nossa situação (Carta ao camarada X)], publicados em novembro e dezembro de 1905, no Дневник Социал-демократа/ *Dnévnik Sotsial-Demokrata*, n. 3 e 4. (N. E. R.)

4   Efetivamente, na carta a Kugelmann de 12 de abril de 1871, Marx refere-se aos *communards* como obstinados [do céu] (*Himmelsstürmern*) em contraposição aos escravos [do céu] (*Himmelsklaven*) do Sacro Império Romano-Germano-Prussiano. Adaptado de Karl Marx, *A guerra civil na França*, cit., p. 208. (N. E. R.)

5   Friedrich Engels e Karl Marx, *Manifesto Comunista* (trad. Álvaro Pina, São Paulo, Boitempo, 2010), p. 72.

Adiante falaremos em detalhes dessa deturpação, num capítulo especialmente consagrado às deturpações. Por ora, basta assinalar que a "compreensão" corrente, vulgar, da famosa máxima de Marx citada por nós consiste em que ele teria sublinhado aqui a ideia de um desenvolvimento lento, em oposição à conquista do poder, entre outras coisas semelhantes.

Na realidade, é *exatamente o contrário*. A ideia de Marx consiste em que a classe operária deve *quebrar, demolir* a "máquina de Estado pronta", e não se limitar simplesmente a sua conquista.

Em 12 de abril de 1871, ou seja, exatamente na época da Comuna, Marx escreveu a Kugelmann:

> Se olhares o último capítulo de meu *O 18 de Brumário*, constatarás que considero que o próximo experimento da Revolução Francesa consistirá não mais em transferir a maquinaria burocrático-militar de uma mão para outra, como foi feito até então, mas sim em *quebrá-la* (sublinhado de Marx; no original está *zerbrechen*), e que esta é a precondição de toda revolução popular efetiva no continente. Esse é, também, o experimento de nossos heroicos correligionários de Paris. (*Neue Zeit*, v. XX, n. 1, 1901-1902, p. 709.)[6]

(As cartas de Marx a Kugelmann foram publicadas em russo não menos que em duas edições, uma das quais sob a minha redação e com prefácio meu.[7])

Nas palavras "demolir a máquina de Estado burocrático-militar", encerra-se, numa expressão curta, a principal lição do marxismo sobre a questão das tarefas do proletariado em relação ao Estado na revolução. E precisamente essa lição não só foi esquecida por completo, como ainda francamente deturpada pela "interpretação" dominante, kautskiana, do marxismo!

Quanto à referência de Marx a *O 18 de brumário*, já citamos na íntegra a passagem correspondente.

É interessante ressaltar em particular dois pontos no citado raciocínio de Marx. Em primeiro lugar, limita sua conclusão ao continente. Isso era com-

---

6   "Marx a Ludwig Kugelmann" (12 de abril de 1871), cit., p. 207. O comentário entre parênteses é de Lênin. (N. E.)

7   Ver Vladímir Ilitch Lênin, *Obras escolhidas* (Lisboa/Moscou, Avante!/Progresso, 1983), t. 1, p. 307-14.

preensível em 1871, quando a Inglaterra era ainda um modelo de país puramente capitalista, mas sem casta militar e, em grau significativo, sem burocracia. Por isso, Marx excluía a Inglaterra, onde a revolução, e até a revolução popular, parecia e era então possível *sem* a condição prévia da destruição da "máquina de Estado já pronta".

Agora, em 1917, na época da primeira grande guerra imperialista, essa limitação de Marx já não é válida. Tanto a Inglaterra quanto os Estados Unidos da América, os últimos e maiores representantes do mundo da "liberdade" anglo-saxônica no sentido da ausência de casta militar e burocratismo, escorregaram completamente para o pântano lamacento e sangrento, comum a toda a Europa, das instituições burocrático-militares, que tudo subjugam, que tudo esmagam. Agora, tanto na Inglaterra quanto nos Estados Unidos da América, "a precondição de toda revolução popular efetiva" é a *demolição*, a *destruição* da "máquina de Estado já pronta" (preparada aí, de 1914 a 1917, à perfeição "europeia", comum ao imperialismo).

Em segundo lugar, merece especial atenção a observação extraordinariamente profunda de Marx de que a destruição da máquina burocrático-militar de Estado é "precondição de toda revolução *popular* efetiva". Essa noção de revolução "popular" parece estranha na boca de Marx, e os plekhanovistas russos e os mencheviques, esses discípulos de Struve que desejam passar por marxistas, poderiam talvez declarar um "lapso" tal expressão. Eles reduziram o marxismo a uma deturpação tão miseravelmente liberal que, exceto a antítese revolução burguesa e revolução proletária, nada existe para eles, e mesmo essa antítese é compreendida por eles de maneira extremamente morta.

Se pegarmos como exemplo as revoluções do século XX, teremos naturalmente que reconhecer que as revoluções portuguesa e turca são burguesas[8]. "Popular", nem uma nem outra é, pois nem em uma nem em outra a massa do povo, sua imensa maioria, intervém de forma visível, ativa, autôno-

---

8   Lênin se refere, respectivamente, à revolução que instaurou a república em Portugal (1910) e à que restaurou a Constituição de 1876 e as eleições parlamentares no Império Otomano (1908), tornando-o novamente uma monarquia constitucional. (N. E.)

ma, com suas reivindicações econômicas e políticas próprias. Pelo contrário, a revolução burguesa russa de 1905-1907, embora nela não tenha havido êxitos tão "brilhantes", como aconteceu às vezes nas revoluções portuguesa e turca, foi, indubitavelmente, uma revolução "verdadeiramente popular", porque a massa do povo, sua maioria, as "camadas inferiores" mais profundas da sociedade, esmagadas pelo jugo e pela exploração, levantaram-se autonomamente e deixaram em todo o curso da revolução a marca de *suas* reivindicações, de *suas* tentativas de construir, à própria maneira, uma sociedade nova no lugar da antiga, em destruição.

Na Europa de 1871, o proletariado não constituía a maioria do povo em nenhum país do continente. A revolução "popular" que arrasta verdadeiramente a maioria para o movimento só podia ser popular englobando tanto o proletariado quanto o campesinato. Ambas as classes constituíam, então, o "povo". Ambas as classes estão unidas porque a "máquina de Estado burocrático-militar" as oprime, as esmaga, as explora. *Quebrar* essa máquina, *demoli-la* – esse é, verdadeiramente, o interesse do "povo", de sua maioria, dos operários e da maioria dos camponeses, essa é a "precondição" da livre aliança dos camponeses pobres e dos proletários; sem tal aliança, a democracia é instável, e a transformação socialista, impossível.

Era para essa aliança que, como se sabe, a Comuna de Paris abria caminho, não atingindo os fins por uma série de razões de caráter interno e externo.

Consequentemente, ao falar de uma "revolução popular efetiva", sem esquecer de modo nenhum as particularidades da pequena-burguesia (delas falou muito e frequentemente), Marx considerava, com o maior rigor, a efetiva correlação das classes na maioria dos Estados continentais da Europa em 1871. Por outro lado, constatava que se exige "quebrar" a máquina de Estado pelos interesses tanto dos operários como dos camponeses; isso os une e coloca diante deles a tarefa comum da eliminação do "parasita" e a substituição por algo novo.

Precisamente pelo quê?

2. PELO QUE SUBSTITUIR A MÁQUINA QUEBRADA DO ESTADO?

A essa pergunta Marx respondia, em 1847, no *Manifesto Comunista*, ainda de modo completamente abstrato – ou melhor, indicando as tarefas, mas não os meios para resolvê-las. Substituí-la pela "elevação do proletariado como classe dominante", pela "conquista da democracia" – esta era a resposta do *Manifesto Comunista*[9].

Sem cair em utopias, Marx esperava da *experiência* do movimento de massas a resposta à questão de quais formas concretas tomaria essa organização do proletariado como classe dominante, de que maneira precisa essa organização se conciliaria com a mais completa e a mais consequente "conquista da democracia".

Marx, em *A guerra civil na França*, submete a experiência da Comuna, por mais limitada que tenha sido, à análise mais atenta. Citemos as passagens mais importantes dessa obra.

No século XIX, desenvolveu-se, saído da Idade Média, "o poder estatal centralizado, com seus órgãos onipresentes, com seu exército, polícia, burocracia, clero e magistratura permanentes"[10]. Com o desenvolvimento do antagonismo de classe entre o capital e o trabalho,

> o poder do Estado foi assumindo cada vez mais o caráter de poder nacional do capital sobre o trabalho, de uma força pública {política} organizada para a escravização social, de uma simples máquina de despotismo {domínio} de classe. Após toda revolução que marca uma fase progressiva na {marcha da} luta de classes, o caráter puramente repressivo do poder do Estado revela-se com uma nitidez cada vez maior.[11]

O poder de Estado torna-se, depois da Revolução de 1848-1849, "uma máquina nacional de guerra do capital contra o trabalho". O segundo império consolida isso.

---

9 Friedrich Engels e Karl Marx, *Manifesto Comunista*, cit., p. 57.

10 Karl Marx, *A guerra civil na França*, cit., p. 54.

11 Ibidem, p. 55. Entre chaves, termos que apareciam substancialmente diferentes na citação de Lênin em russo. (N. R. T.)

A antítese direta do império era a Comuna. [...] A Comuna era a forma positiva dessa república. [...] uma república que viesse não para suprimir a forma monárquica da dominação de classe, mas a dominação de classe ela mesma.[12]

Em que consistia exatamente essa forma "positiva" de república proletária, socialista? Qual era o Estado que ela começara a fundar? "O primeiro decreto da Comuna ordenava a supressão do exército permanente e sua substituição pelo povo armado."[13]

Essa reivindicação figura agora no programa de todos os partidos que querem se chamar socialistas. Mas o que valem seus programas, isso se vê melhor pela conduta de nossos SRs e nossos mencheviques, que, de fato, recusaram, logo depois da Revolução de 27 de fevereiro, a realização dessa reivindicação!

A Comuna era formada por conselheiros municipais, escolhidos por sufrágio universal nos diversos distritos da cidade [de Paris], responsáveis e com mandatos revogáveis a qualquer momento. A maioria de seus membros era naturalmente formada de operários ou representantes incontestáveis da classe operária. [...] Em vez de continuar a ser o agente do governo central, a polícia foi logo despojada de seus atributos políticos e convertida em agente da Comuna, responsável e substituível a qualquer momento. O mesmo se fez em relação aos funcionários de todos os outros ramos da administração. Dos membros da Comuna até os postos inferiores, o serviço público tinha de ser remunerado com *salários de operários*. Os direitos adquiridos e as despesas de representação dos altos dignitários do Estado desapareceram com os próprios dignitários do Estado. [...]

Uma vez livre do exército permanente e da polícia – os elementos da força física do antigo governo –, a Comuna ansiava por quebrar a força espiritual de repressão, o "poder paroquial". [...]

Os funcionários judiciais deviam ser despojados daquela falsa independência [...] deviam ser eletivos, responsáveis e demissíveis.[14]

---

12 Ibidem, p. 56. Para fins de clareza em sua exposição, Lênin citou as frases sem seguir a ordem em que aparecem no original. (N. E.)

13 Ibidem, p. 56.

14 Ibidem, p. 56-7.

Desse modo, a Comuna substitui aparentemente a máquina de Estado quebrada "apenas" por uma democracia mais completa: a extinção do exército permanente, plenas elegibilidade e revogabilidade de todos os funcionários públicos. Mas, na realidade, este "apenas" significa a substituição gigantesca de algumas instituições por instituições de tipo fundamentalmente diferente. Aqui se observa exatamente um dos casos de "transformação da quantidade em qualidade": a democracia, realizada de modo tão completo e consequente quanto é concebível, converte-se de democracia burguesa em proletária, de Estado (= força especial para a repressão de determinada classe) em uma coisa que já não é, para falar propriamente, Estado.

Reprimir a burguesia e sua resistência continua sendo necessário. Para a Comuna, isso foi especialmente necessário, e uma das causas de sua derrota reside no fato de que ela não o fez com suficiente decisão. Mas o órgão de repressão já é aqui a maioria da população, não a minoria, como tinha sido sempre tanto na escravatura como na servidão ou na escravatura assalariada. E, uma vez que é a *própria* maioria do povo que reprime seus opressores, *já não é necessária* uma "força especial" para a repressão! É nesse sentido que o Estado *começa a definhar*. Em vez de instituições especiais de uma minoria privilegiada (funcionalismo privilegiado, comando do exército permanente), a própria maioria pode realizar isso de forma direta, e, quanto mais a própria realização das funções do poder de Estado se tornar de todo o povo, menos necessário se torna esse poder.

A esse respeito é particularmente notável uma medida da Comuna sublinhada por Marx: abolição de todos os dinheiros na representação, de todos os privilégios pecuniários dos funcionários, redução dos vencimentos de *todos* os funcionários do Estado para o nível dos "*salários de operário*". É aqui exatamente que se manifesta de modo mais evidente a *ruptura* com a democracia burguesa rumo à democracia proletária, da democracia dos opressores para a democracia das classes oprimidas, do Estado como "*força especial*" para a repressão de determinada classe para a repressão dos opressores pela *força geral* da maioria do povo, dos operários e dos camponeses. E é justamente nesse ponto, talvez o mais importante, em que se evidencia a questão do Estado, que as lições de Marx são mais esquecidas! Os comentários populares – dos quais já se perdeu a conta – não falam sobre isso. "É costume" silenciar-se sobre isso como uma "ingenuidade" que fez sua época – à maneira dos cristãos que, tendo chegado à situação de religião de Estado, "esqueceram" as "ingenuidades" do cristianismo primitivo com seu espírito democrático revolucionário.

A redução da remuneração dos altos funcionários do Estado parece "simplesmente" reivindicação de um democratismo ingênuo, primitivo. Um dos "fundadores" do oportunismo moderno, o ex-social-democrata Ed.[uard] Bernstein, exercitou-se mais de uma vez a repetir os gracejos burgueses vulgares sobre o democratismo "primitivo". Como todos os oportunistas, como os kautskistas atuais, não entendeu de modo nenhum que, em primeiro lugar, é *impossível* a transição do capitalismo para o socialismo sem certo "retorno" ao democratismo "primitivo" (pois de que outro modo seria possível passar para a realização das funções do Estado pela maioria da população e por toda a população sem exceção?); em segundo lugar, que o "democratismo primitivo" na base do capitalismo e da cultura capitalista não é o democratismo primitivo dos tempos antigos ou pré-capitalistas. A cultura capitalista *criou* a grande produção, as fábricas, os caminhos de ferro, os correios, os telefones, e assim por diante, e em *nessa base* a imensa maioria das funções do velho "poder do Estado" simplificou-se de tal maneira, e pode ser reduzida a operações de registro, de inscrição, de controle tão simples, que essas funções estão completamente ao alcance de qualquer pessoa alfabetizada, que essas funções podem perfeitamente ser realizadas pelo habitual "salário de operário", que se pode (e se deve) tirar dessas funções qualquer sombra de privilégio, de "hierarquia".

A elegibilidade completa, a revogabilidade *a qualquer momento* de todos os funcionários públicos sem exceção, a redução de seus vencimentos ao habitual "salário de operário", essas medidas democráticas simples e "compreensíveis por si mesmas", unindo completamente os interesses dos operários e da maioria dos camponeses, servem ao mesmo tempo de ponte que conduz do capitalismo para o socialismo. Essas medidas dizem respeito à reorganização estatal, puramente política da sociedade, mas só adquirem, naturalmente, todo seu sentido e toda sua importância em ligação com a realização ou a preparação da "expropriação dos expropriadores", ou seja, com a transformação da propriedade privada capitalista dos meios de produção em propriedade social.

Escreve Marx: "A Comuna tornou realidade o lema das revoluções burguesas – o governo barato – ao destruir [suprimir] as duas maiores fontes de gastos: o exército permanente e o funcionalismo de Estado"[15].

Do campesinato, assim como de outras camadas da pequena burguesia, apenas uma insignificante minoria "sobe", "se torna alguém" no sentido burguês, isto é, se converte ou em pessoas abastadas, em burgueses, ou em funcionários privilegiados, com uma posição garantida. A imensa maioria do campesinato, em qualquer país capitalista em que exista campesinato (e estes países capitalistas são a maioria), é oprimida pelo governo e aspira a derrubá-lo, aspira a um governo "barato". *Somente* o proletariado pode fazer isso – e, ao fazer isso, dá ao mesmo tempo um passo para a reorganização socialista do Estado.

3. A EXTINÇÃO DO PARLAMENTARISMO

Escreve Marx:

> A Comuna devia ser não um corpo parlamentar, mas um órgão de trabalho, Executivo e Legislativo ao mesmo tempo. [...]
> Em lugar de escolher uma vez a cada três ou seis anos quais os membros da classe dominante que irão atraiçoar (*misrepresent*) {representar e reprimir (*ver- und zertreten*)} o povo no Parlamento, o sufrágio universal serviria ao povo, constituído em comunas, do mesmo modo que o sufrágio individual serve ao empregador na escolha de operários e administradores {capatazes e contabilistas} para seu negócio.[16]

Essa notável crítica do parlamentarismo, feita em 1871, também pertence agora, graças ao domínio do social-chauvinismo e do oportunismo, ao

---

15 Ibidem, p. 59.

16 Ibidem, p. 57-8. Os termos entre chaves aparecem na citação de Lênin em russo. Note-se que a edição consultada por ele era a alemã, mas o texto havia sido originalmente escrito em inglês por Marx. (N. E.)

número das "palavras esquecidas" do marxismo. Os ministros e os parlamentares de profissão, os traidores do proletariado e os socialistas "interesseiros" de nossos dias deixaram inteiramente aos anarquistas a crítica do parlamentarismo e, nessa base espantosamente razoável, declararam "anarquista" *qualquer* crítica ao parlamentarismo! Não é de admirar que o proletariado dos países parlamentares "avançados", sentindo repugnância ao ver "socialistas" como Scheidemann, David, Legien, Sembat, Renaudel, Henderson, Vandervelde, Stauning, Branting, Bissolati e cia., tenha cada vez mais concedido suas simpatias ao anarcossindicalismo[17], embora este seja irmão gêmeo do oportunismo.

Para Marx, no entanto, a dialética revolucionária nunca foi uma expressão vazia da moda, a roca de brinquedo que dela fizeram Plekhánov e Kautsky, entre outros. Marx soube romper impiedosamente com o anarquismo em razão de sua incapacidade para utilizar mesmo o "curral" do parlamentarismo burguês, sobretudo quando manifestamente não há situação revolucionária – ao mesmo tempo, soube fazer uma crítica de fato proletário-revolucionária do parlamentarismo.

Decidir uma vez a cada tantos anos qual membro da classe dominante reprimirá, esmagará o povo no parlamento, é nisso que reside a verdadeira essência do parlamentarismo burguês não só nas monarquias constitucionais parlamentares, mas também nas repúblicas mais democráticas.

Porém, ao se colocar a questão do Estado, ao se considerar o parlamentarismo como uma das instituições do Estado, do ponto de vista das tarefas do proletariado *nesse* domínio, qual seria o caminho de saída do parlamentarismo? Como se pode passar sem ele?

Somos forçados a dizer uma e outra vez: as lições de Marx, baseadas no estudo da Comuna, estão tão esquecidas que, para o "social-democrata" contemporâneo (leia-se: o traidor contemporâneo do socialismo), é simples-

---

17 Enquanto o anarquismo se pronunciava pela imediata extinção de qualquer poder, os anarcossindicalistas consideravam os sindicatos como forma superior de organização da classe operária e a guerra econômica geral como forma superior de luta, negando a luta política e o papel dos partidos políticos operários. (N. E. R. A.)

mente incompreensível outra crítica do parlamentarismo senão a anarquista ou reacionária.

O caminho de saída do parlamentarismo, naturalmente, não consiste na extinção das instituições representativas e da elegibilidade, mas na transformação das instituições representativas, de lugares de charlatanice em instituições "de trabalho". "A Comuna devia ser não um corpo parlamentar, mas um órgão de trabalho, Executivo e Legislativo ao mesmo tempo."[18]

Uma instituição "não parlamentar, mas de trabalho", isso atinge em cheio os parlamentares contemporâneos e os "cãezinhos de colo" parlamentares da social-democracia! Olhem para qualquer país parlamentar, dos Estados Unidos à Suíça, da França à Inglaterra, à Noruega, e assim por diante: o verdadeiro trabalho "do Estado" é feito nos bastidores, é executado pelos departamentos, pelas chancelarias, pelos Estados-maiores. Nos parlamentos apenas se tagarela, com a finalidade especial de enganar a "gente simples". Isso é tão verdade que, mesmo na república russa, república democrático-burguesa, todos esses vícios do parlamentarismo se manifestaram imediatamente, mesmo antes de ter havido tempo para constituir um verdadeiro parlamento. Heróis do filistinismo apodrecido, como os Skóbelev e os Tseretéli, os Tchernov e os Avkséntiev, conseguiram apodrecer até os sovietes segundo o modelo do mais ignóbil parlamentarismo burguês, convertendo-os em lugares vazios, de charlatanice. Nos sovietes, os senhores ministros "socialistas" enganam os mujiques crédulos com fraseologia e resoluções. No governo decorre uma dança permanente, por um lado, para fazer sentar ao mesmo tempo em volta do "tacho", dos lugarzinhos lucrativos e honrosos, o maior número possível de socialistas-revolucionários e de mencheviques; por outro lado, para "distrair a atenção" do povo. Nas chancelarias, nos Estados-maiores, "faz-se" o trabalho "de Estado"!

O *Дело Народа/ Dielo Naroda*[19], órgão do partido dirigente dos "socialistas-revolucionários", há pouco tempo confessou em um editorial – com

18 Karl Marx, *A guerra civil na França*, cit., p. 57.

19 Jornal diário ligado ao partido dos SRs; foi publicado em Petrogrado (atual São Petersburgo) de março de 1917 a julho de 1918, tendo mudado de nome repetidas vezes. O periódico tomou a posição do defensismo e da conciliação, apoiando o governo provisório. Sua publicação foi retomada em outubro de 1918 em Samara (quatro números) e em março de 1919 em Moscou (dez números), até ser encerrada por exercer atividade contrarrevolucionária. (N. E. R. A.)

a incomparável franqueza das pessoas da "boa sociedade", na qual "todos" exercem a prostituição política – que mesmo nos ministérios pertencentes aos "socialistas" (desculpem a expressão!), que mesmo neles todo o aparelho burocrático permanece na essência o antigo, funciona à antiga e sabota com completa "liberdade" as iniciativas revolucionárias! Mas, ainda que não existisse essa confissão, será que a história factual da participação dos SRs e dos mencheviques no governo não demonstra isso? O característico aqui é apenas que, ao encontrar-se no ministério juntamente com os KDs, os senhores Tchernov, Russánov, Zenzínov e outros editores do *Dielo Naroda* tanto perderam a vergonha que não se constrangem ao contar em público, sem corar, como se nada fosse, que "entre eles", nos ministérios, tudo continua à antiga! Frase revolucionário-democrática para enganar os bobos das aldeias[20] e morosidade burocrática para "agradar" aos capitalistas, essa é a *essência* da "honesta" coligação.

A Comuna substituiu o parlamentarismo corrupto e apodrecido da sociedade burguesa por instituições em que a liberdade de opinião e de discussão não degenera em engano, pois os próprios parlamentares têm de trabalhar, executar eles próprios suas leis, comprovar eles próprios o que se consegue na vida, responder eles próprios diretamente a seus eleitores. As instituições representativas permanecem, mas o parlamentarismo como sistema especial, como divisão do trabalho legislativo e executivo, como situação privilegiada para os deputados, *não existe* aqui. Não podemos conceber uma democracia, nem mesmo uma democracia proletária, sem instituições representativas, mas podemos e *devemos* concebê-la sem parlamentarismo, se a crítica da sociedade burguesa não é para nós palavras vazias, se a aspiração a derrubar a dominação da burguesia é nossa aspiração séria e sincera, não uma frase "eleitoral" destinada a captar os votos dos operários, como para os mencheviques e os SRs, como para os Scheidemann e os Legien, os Sembat e os Vandervelde.

É extremamente instrutivo que, ao falar das funções *daquele* funcionalismo de que tanto a Comuna como a democracia proletária precisam, Marx

---

20 No original, Lênin usa o nome próprio Ivánuchka, em referência a uma das personagens mais famosas dos contos maravilhosos russos, o bobo Ivánuchka. (N. R. T.)

aproveite para comparação os empregados de "todos os outros patrões", ou seja, uma empresa capitalista comum com "operários e administradores".

Em Marx não existe nem uma gota de utopismo, no sentido de ter inventado, imaginado, uma sociedade "nova". Não, ele estuda o *nascimento* da nova sociedade *a partir* da velha, as formas de passagem da segunda para a primeira como um processo de história natural. Toma a experiência real do movimento proletário de massas e esforça-se por tirar dela lições práticas. "Aprende" com a Comuna, como todos os grandes pensadores revolucionários que não temem aprender com a experiência dos grandes movimentos da classe oprimida, nunca se referindo a eles com "sermões" pedantes (à semelhança do "não se devia ter pegado em armas" de Plekhánov ou o "uma classe deve autorrefrear-se" de Tseretéli).

Não se trata de extinguir de uma só vez, por toda parte, até ao fim, o funcionalismo. Isso é utopia. Mas *destruir* de uma só vez a velha máquina burocrática e começar imediatamente a construir uma nova, que permita gradualmente acabar com todo o funcionalismo, *não é* utopia – é a experiência da Comuna, é a tarefa imediata, direta, do proletariado revolucionário.

O capitalismo simplifica as funções da administração "estatal", permite prescindir da "hierarquização" e reduzir tudo a uma organização de proletários (como classe dominante) que contrata, em nome de toda a sociedade, "operários e administradores".

Não somos utopistas. Não "sonhamos" com dispensar *de uma só vez* toda administração, toda subordinação; esses sonhos anarquistas, baseados na incompreensão das tarefas da ditadura do proletariado, são fundamentalmente estranhos ao marxismo e só servem na realidade para protelar a revolução socialista até o momento em que as pessoas forem diferentes. Não, nós queremos a revolução socialista, com pessoas como as de agora, que não poderão passar sem subordinação, sem controle, sem "administradores".

Mas é preciso subordinar-se à vanguarda armada de todos os explorados e os trabalhadores – o proletariado. Podemos e devemos, desde já, de hoje para amanhã, começar a substituir a "hierarquização" específica dos funcionários do Estado pelas simples funções dos "administradores", funções que, já hoje, estão completamente ao alcance do nível de desenvolvimento dos citadinos ém geral e que podem ser perfeitamente executadas mediante o "salário de operário".

Organizaremos a grande produção partindo do que já foi criado pelo capitalismo, nós *próprios*, os trabalhadores, apoiando-nos em nossa experiência operária, criando uma disciplina rigorosíssima, de ferro, sustentada pelo poder de Estado dos trabalhadores armados, reduziremos os funcionários públicos ao papel de simples executantes de nossas diretivas, de "administradores" (naturalmente com técnicos de todos os gêneros e níveis) responsáveis, revogáveis e modestamente pagos – eis *nossa* tarefa proletária, eis por onde podemos e devemos *começar* a realização da revolução proletária. Tal começo, com base na grande produção, conduz por si mesmo ao "definhamento" gradual de todo o funcionalismo, ao estabelecimento gradual de uma ordem – ordem sem aspas, ordem sem semelhança nenhuma com a escravatura assalariada –, uma ordem em que as funções de fiscalização e de contabilidade, cada vez mais simplificadas, serão desempenhadas por todos, em turnos, depois vão se tornar hábito e, finalmente, vão se tornar caducas, como funções *especiais* de uma categoria especial de indivíduos.

Um espirituoso social-democrata alemão dos anos 70 do século passado [XIX] chamou o *correio* de modelo de empresa socialista. Muito justo. O correio é hoje uma economia organizada segundo o tipo do monopólio *capitalista* de Estado. O imperialismo transforma progressivamente todos os trustes em organizações de tipo semelhante. Acima dos "simples" trabalhadores, que estão sobrecarregados de trabalho e que passam fome, encontra-se aqui exatamente a mesma burocracia burguesa. Mas o mecanismo de gestão social, no caso, já está pronto. Derrubar os capitalistas, destruir a resistência desses exploradores com a mão de ferro dos trabalhadores armados e demolir a máquina burocrática do Estado contemporâneo – com isso, temos diante de nós um mecanismo de elevado equipamento técnico livre do "parasita", que os próprios trabalhadores unidos podem perfeitamente colocar em funcionamento contratando técnicos, administradores, pagando o trabalho de *todos* eles, assim como o de *todos* os funcionários do "Estado" em geral com um salário de operário. Essa é a tarefa concreta, prática, imediatamente realizável em relação a todos os trustes e que liberta os trabalhadores da exploração, considerando a experiência já começada na prática (especialmente no domínio da construção do Estado) pela Comuna.

Toda a economia nacional organizada como o correio, de forma que os técnicos e administradores, assim como *todos* os funcionários públicos, recebam um vencimento que não exceda um "salário de operário", sob o controle e a direção do proletariado armado – esse é nosso objetivo imediato. É desse Estado, é dessa base econômica que precisamos. É isso que trará a extinção do parlamentarismo e a manutenção das instituições representativas, é isso que libertará as classes trabalhadoras da prostituição dessas instituições pela burguesia.

4. A ORGANIZAÇÃO DA UNIDADE DA NAÇÃO

"No singelo esboço de organização nacional que a Comuna não teve tempo de desenvolver, consta claramente que a Comuna deveria ser a forma política até mesmo das menores aldeias do país."[21] Pelas Comunas devia também ser eleita a "Delegação Nacional" em Paris.

> As poucas, porém importantes, funções que ainda restariam para um governo central não seriam suprimidas, como se divulgou caluniosamente, mas desempenhadas por agentes comunais e, portanto, responsáveis. A unidade da nação não seria quebrada, mas, ao contrário, organizada por meio de uma constituição comunal e tornada realidade pela destruição do poder estatal, que reivindicava ser a encarnação daquela unidade, independente e situado acima da própria nação, da qual ele não passava de uma excrescência parasitária. Ao passo que os órgãos meramente repressivos do velho poder estatal deveriam ser amputados, suas funções legítimas seriam arrancadas a uma autoridade que usurpava à sociedade uma posição preeminente e restituídas aos agentes responsáveis dessa sociedade.[22]

Até que ponto não entenderam – ou, talvez, melhor dizendo: até que ponto os oportunistas da social-democracia contemporânea não quiseram

---

21 Karl Marx, A *guerra civil na França*, cit., p. 57.

22 Ibidem, p. 58.

entender – esses raciocínios de Marx é o que mostra da melhor maneira o livro do renegado Bernstein, famoso à maneira de Heróstrato[23], *Os pressupostos do socialismo e as tarefas da social-democracia*[24]. Foi justamente a propósito das palavras citadas de Marx que Bernstein escreveu que este programa,

> quanto a seu teor político, é, em todos os seus traços essenciais, extremamente parecido com o federalismo de Proudhon. [...] não obstante todas as demais diferenças entre Marx e o "pequeno-burguês" Proudhon (Bernstein coloca a palavra "pequeno-burguês" entre aspas, as quais deviam ser, na opinião dele, irônicas), pelo menos nesses pontos não poderia haver afinidade maior entre os raciocínios deles.[25]

Naturalmente, prossegue Bernstein, a importância das municipalidades cresce, mas

> Parece-me duvidoso, no entanto, que a primeira tarefa da democracia devesse de fato ser tal dissolução {abolição} (*Auflösung* – literalmente: dissolução, decomposição) do sistema estatal moderno e a total transformação {revolução} (*Umwandlung* – transformação) de sua organização, como descritas por Marx e Proudhon (a composição da Assembleia Nacional por delegados das Assembleias provinciais ou então das assembleias distritais, que, por sua vez, seriam compostas por delegados das comunas), descartando, portanto, a forma das representações nacionais até aqui praticada. (Bernstein, *Os pressupostos*, ed. alemã, 1899, p. 134 e 136).[26]

Isto é simplesmente monstruoso: confundir as concepções de Marx sobre a "extinção do poder do Estado parasita" com o federalismo de Proudhon! Mas não é casual, pois não passa pela cabeça do oportunista que Marx

23 Grego da ilha de Éfeso (Ásia Menor). Em 356 a. C., para imortalizar seu nome, incendiou o tempo de Ártemis em Éfeso, uma das sete maravilhas do mundo. Em sentido figurado, pessoa ambiciosa que procura a glória a qualquer preço. (N. E. R.)

24 Trata-se da tradução literal do título da obra: *Die Voraussetzungen des Sozialismus und die Aufgaben der Sozialdemokratie*, de 1899, que foi publicada no Brasil como *Socialismo evolucionário* (trad. Manuel Teles, Rio de Janeiro, Jorge Zahar/Instituto Teotônio Vilela, 1997). (N. R. T.)

25 Eduard Bernstein, *Die Voraussetzungen des Sozialismus und die Aufgaben der Sozialdemokratie* (Stuttgart, Dietz, 1899), p. 134 e 136. Traduzido do alemão por Nélio Schneider. (N. E.)

26 Ibidem, p. 136. Entre chaves, os termos usados no original de Lênin; entre parênteses, os termos em alemão e as traduções propostas pela edição soviética, coincidentes com as nossas. (N. E.)

não fala aqui de modo nenhum do federalismo em oposição ao centralismo, mas de quebrar a velha máquina de Estado burguesa existente em todos os países burgueses.

Só passa pela cabeça do oportunista aquilo que ele vê à própria volta, em meio ao filistinismo pequeno-burguês e à estagnação "reformista", a saber: unicamente as "municipalidades"! Quanto à revolução do proletariado, o oportunista até desaprendeu a pensar nela!

Isso é ridículo. Mas é de notar que neste ponto não se tenha discutido com Bernstein. Muitos o refutaram – especialmente Plekhánov na literatura russa, Kautsky na europeia, mas *nem* um *nem* outro disseram qualquer coisa a respeito *desta* deturpação de Marx por Bernstein.

O oportunista tanto desaprendeu a pensar revolucionariamente e a refletir sobre a revolução que atribui "federalismo" a Marx, confundindo-o com o fundador do anarquismo, Proudhon. E Kautsky e Plekhánov, que querem ser marxistas ortodoxos, defender a doutrina do marxismo revolucionário, calam-se a respeito disso! Aqui reside uma das raízes dessa extrema vulgarização das concepções sobre a diferença entre o marxismo e o anarquismo, que é característica tanto dos kautskistas quanto dos oportunistas, sobre os quais ainda teremos que falar.

Nos citados raciocínios de Marx sobre a experiência da Comuna não há nenhum vestígio de federalismo. Marx coincide com Proudhon exatamente naquilo que o oportunista Bernstein não vê. Marx diverge de Proudhon exatamente naquilo em que Bernstein vê sua coincidência.

Marx coincide com Proudhon no fato de que ambos defendem que se deve "quebrar" a máquina de Estado atual. Essa coincidência do marxismo com o anarquismo (tanto com Proudhon quanto com Bakúnin) nem os oportunistas nem os kautskistas querem ver, porque se afastaram do marxismo neste ponto.

Marx diverge quer de Proudhon, quer de Bakúnin na questão do federalismo (já não falando da ditadura do proletariado). O federalismo é uma derivação de princípio das concepções pequeno-burguesas do anarquismo. Marx é centralista. E nos raciocínios dele que citamos não existe o menor desvio do centralismo. Só as pessoas cheias de uma "fé supersticiosa" filistina no Estado podem tomar a extinção da máquina de Estado burguesa pela extinção do centralismo!

Pois, caso o proletariado e o campesinato pobre tomem nas mãos o poder do Estado, caso se organizem com toda a liberdade em comunas e *unam* a ação de todas as comunas em ataques contra o capital, para destruir a resistência dos capitalistas, para restituir a propriedade privada das fábricas, da terra, das estradas de ferro, e assim por diante, a *toda* a nação, a toda a sociedade, não será isso centralismo? Não será isso o centralismo democrático mais consequente? E, além disso, um centralismo proletário?

Na cabeça de Bernstein simplesmente não entra que é possível um centralismo voluntário, uma união voluntária das comunas da nação, uma fusão voluntária das comunas proletárias com a finalidade de destruir a dominação burguesa e a máquina de Estado burguesa. Como todo filisteu, Bernstein imagina o centralismo como algo que só pode ser imposto e mantido de cima, apenas por meio do funcionalismo e da casta militar.

Marx sublinha intencionalmente, como se previsse a possibilidade da deturpação de suas concepções, que constituem uma deturpação intencional as acusações à Comuna de que ela queria extinguir a unidade da nação, suprimir o poder central. Marx emprega propositadamente a expressão "organizar a unidade da nação" para contrapor o centralismo consciente, democrático, proletário, ao burguês, militar, burocrático.

Mas... não há pior surdo do que aquele que não quer ouvir. E os oportunistas da social-democracia contemporânea não querem precisamente ouvir falar de extinguir o poder de Estado, de amputar o parasita.

5. A EXTINÇÃO DO ESTADO PARASITA

Já citamos as palavras de Marx correspondentes e devemos completá-las.

> Criações históricas completamente novas estão geralmente destinadas a ser incompreendidas como cópias de formas velhas, e mesmo mortas, de vida social, com as quais podem guardar certa semelhança. Assim, essa nova Comuna, que destrói o poder estatal moderno, foi erroneamente tomada por uma reprodução

das Comunas medievais [...], uma federação de pequenos Estados, como sonhavam Montesquieu e os girondinos[27], [...] uma forma exagerada da velha luta contra a hipercentralização. [...] O regime comunal teria restaurado ao corpo social todas as forças até então absorvidas pelo parasita estatal, que se alimenta da sociedade e lhe obstrui seu livre movimento. Esse único ato bastaria para iniciar a regeneração da França. [...] Em realidade, o regime comunal colocava os produtores do campo sob a direção intelectual das cidades centrais de seus distritos, e a eles afiançava, na pessoa dos operários, os fiduciários naturais de seus interesses. A própria existência da Comuna implicava, como algo patente, a autonomia municipal, porém não mais como contrapeso a um agora supérfluo poder estatal.[28]

"Extinção do poder de Estado", que era uma "excrescência parasitária", sua "amputação", sua "destruição", "um agora supérfluo poder estatal" – são essas as expressões por meio das quais Marx falava sobre o Estado, avaliando e analisando a experiência da Comuna.

Tudo isso foi escrito há pouco menos de meio século, e agora é preciso realizar verdadeiras escavações para levar ao conhecimento das amplas massas um marxismo não deturpado. As conclusões tiradas da observação da última grande revolução que Marx viveu foram esquecidas exatamente quando chegava a época das grandes revoluções do proletariado seguintes.

A multiplicidade de interpretações a que tem sido submetida a Comuna e a multiplicidade de interesses que a interpretam em seu benefício próprio demonstram que ela era uma forma política completamente flexível, ao passo que todas as formas anteriores de governo têm sido fundamentalmente repressivas. Eis o verdadeiro segredo da Comuna: era essencialmente um governo da classe operária, o produto da luta da classe produtora contra a apropriadora, a forma política enfim descoberta para se levar a efeito a emancipação econômica do trabalho.

---

27 Um dos dois grupos políticos da burguesia do período da Revolução Francesa. Os girondinos representavam predominantemente a burguesia comercial-industrial e agrária. Deviam seu nome ao departamento da Gironda, baluarte da grande burguesia. Os girondinos vacilavam entre a revolução e a contrarrevolução e tomaram a via dos acordos com a monarquia. (N. E. R.)
Como esclarece, em nota, a citada edição brasileira de *A guerra civil na França*, os girondinos defendiam a divisão da França em repúblicas federadas, em oposição ao centralismo revolucionário-democrático dos jacobinos. (N. E.)

28 Karl Marx, *A guerra civil na França*, cit., p. 58-9.

A EXPERIÊNCIA DA COMUNA DE PARIS DE 1871. A ANÁLISE DE MARX   79

A não ser sob essa última condição, o regime comunal teria sido uma impossibilidade e um logro.[29]

Os utopistas dedicaram-se a "descobrir" as formas políticas sob as quais devia ter lugar a reorganização socialista da sociedade. Os anarquistas esquivavam-se completamente à questão das formas políticas. Os oportunistas da social-democracia contemporânea aceitaram as formas políticas burguesas do Estado democrático parlamentar como limite intransponível e quebraram a cabeça a prostrar-se diante desse "modelo", classificando de anarquismo qualquer empenho em *demolir* essas formas.

Marx concluiu a partir de toda a história do socialismo e da luta política que o Estado deverá desaparecer e que a forma transitória de seu desaparecimento (passagem do Estado para o não Estado) será "o proletariado organizado como classe dominante". Mas Marx não se propunha a *descobrir* as *formas* políticas desse futuro. Limitou-se a uma observação precisa da história francesa, à sua análise e à conclusão a que o conduziu o ano de 1851: as coisas aproximam-se da *destruição* da máquina de Estado burguesa.

E quando o movimento revolucionário de massas do proletariado eclodiu, Marx, apesar do fracasso desse movimento, apesar de sua curta duração e de sua fraqueza evidente, entregou-se ao estudo das formas que o movimento tinha *descoberto*.

A Comuna é a forma "enfim descoberta" pela revolução proletária, na qual se pode realizar a libertação econômica do trabalho.

A Comuna é a primeira tentativa da revolução proletária de *quebrar* a máquina de Estado burguesa e a forma política "enfim descoberta" pela qual se pode e se deve *substituir* o que foi quebrado.

Veremos adiante em nossa exposição que as revoluções russas de 1905 e de 1917, em outra situação, em outras condições, dão continuidade à obra da Comuna e confirmam a genial análise histórica de Marx[30].

---

29 Ibidem, p. 59.

30 Referência ao Capítulo 7 do livro, ao final nunca escrito. (N. E.)

CAPÍTULO 4
CONTINUAÇÃO.
EXPLICAÇÕES COMPLEMENTARES DE ENGELS

Marx disse o fundamental sobre a questão do significado da experiência da Comuna. Engels voltou-se muitas vezes a esse mesmo tema, explicando a análise e as conclusões de Marx e esclarecendo às vezes *outros* aspectos da questão com tal força e tal relevo que é necessário determo-nos especialmente nessas explicações.

1. A "QUESTÃO DA MORADIA"

Em sua obra sobre a questão da moradia (1872)[1], Engels já considera a experiência da Comuna, detendo-se várias vezes nas tarefas da revolução em relação ao Estado. É interessante que, nesse tema concreto, verificam-se claramente, por um lado, traços de coincidência do Estado proletário com o Estado atual – traços que dão base, em ambos os casos, para falar de Estado – e, por outro lado, traços de distinção ou transição para a extinção do Estado.

> Como se resolve, então, a questão da moradia? Em nossa sociedade atual exatamente do mesmo modo como se resolve qualquer outra questão social: mediante o gradativo equilíbrio econômico entre procura e oferta, uma solução que sempre gera de novo seu próprio problema, não sendo, portanto, solução nenhuma.

---

1 Cf. Friedrich Engels, *Sobre a questão da moradia* (trad. Nélio Schneider, São Paulo, Boitempo, 2011).

O modo como uma revolução social poderia solucionar essa questão não só depende das circunstâncias do momento, mas também tem a ver com questões muito mais profundas, sendo uma das mais essenciais a supressão do antagonismo entre cidade e campo. Dado que não precisamos criar sistemas utopistas para instaurar a sociedade futura, seria totalmente supérfluo entrar nesse tema. Uma coisa é certa, porém: já existem conjuntos habitacionais suficientes nas metrópoles para remediar de imediato, por meio de sua utilização racional, toda a real "*escassez* de moradia". Naturalmente, isso só poderá ser feito mediante a expropriação dos atuais possuidores, ou então mediante a acomodação, nessas casas, de trabalhadores sem teto ou trabalhadores aglomerados nas moradias atuais; assim que o proletariado tiver conquistado o poder político, essa medida exigida pelo bem-estar público terá sua execução tão facilitada quanto outras expropriações e acomodações feitas pelo Estado atual. (ed. alemã, 1887, p. 22.)[2]

Não se considera aqui uma mudança de forma do poder de Estado; toma-se apenas o conteúdo da sua atividade. O Estado atual também ordena expropriações e ocupações de moradias. O Estado proletário, do ponto de vista formal, também "ordenará" a ocupação de moradias e a expropriação de casas. No entanto, é evidente que o antigo aparelho executivo, o funcionalismo ligado à burguesia, seria simplesmente inapto para realizar na prática as disposições do Estado proletário.

A propósito, é preciso constatar que a "apropriação efetiva" de todos os instrumentos de trabalho, a tomada de posse de toda a indústria pelo povo trabalhador, é o exato oposto do "resgate" proudhonista. Neste último, *o trabalhador individual* se torna proprietário da moradia, da fazenda, do instrumento de trabalho; na primeira, o "povo trabalhador" permanece como proprietário global das casas, fábricas e instrumentos de trabalho, e, pelo menos durante o período de transição, dificilmente cederá seu direito de uso a indivíduos e sociedades sem alguma indenização de custos. Exatamente do mesmo modo a abolição da propriedade fundiária não é a abolição da renda fundiária, mas sua transferência, embora numa forma modificada, para a sociedade. Portanto, a tomada de posse efetiva de todos os instrumentos de trabalho pelo povo trabalhador de modo algum exclui a manutenção da relação de locação. (p. 68.)[3]

---

2 Ibidem, p. 56.

3 Ibidem, p. 134.

A questão que se mostra nesse assunto, a saber: as bases econômicas do definhamento do Estado. Engels se exprime com extremo cuidado ao falar que "dificilmente" o Estado proletário distribuirá moradias sem pagamento, "pelo menos durante o período de transição". O aluguel das moradias, propriedade de todo o povo, a diferentes famílias em troca de uma renda pressupõe também a cobrança dessa renda e certo controle e estabelecimento de algumas normas de repartição das moradias. Tudo isso exige determinada forma de Estado, mas não exige de maneira nenhuma um aparelho militar e burocrático especial, com funcionários beneficiando-se de uma situação especialmente privilegiada. E a transição para uma situação em que poderão ser distribuídas habitações gratuitamente está ligada ao "definhamento" total do Estado.

Falando da transição dos blanquistas[4], depois da Comuna e sob a influência de sua experiência, para a posição de princípio do marxismo, de passagem Engels formula essa posição da seguinte maneira: "Necessidade da ação política do proletariado e de sua ditadura como transição para a abolição das classes e, com estas, do Estado" (p. 55)[5].

Certos amadores da crítica literal ou os burgueses "eliminadores do marxismo" verão, talvez, contradição entre esse *reconhecimento* da "abolição do Estado" e a negação dessa fórmula como anarquista na passagem citada do *Anti-Dühring*. Não seria de estranhar se os oportunistas classificassem também Engels entre os "anarquistas": agora está cada vez mais divulgada entre os sociais-chauvinistas a acusação de anarquismo aos internacionalistas.

Que com a abolição das classes terá lugar também a abolição do Estado, o marxismo sempre ensinou. A passagem do *Anti-Dühring* sobre o "definhamento do Estado" que todos conhecem não acusa os anarquistas simplesmente de ser pela abolição do Estado, mas de pregar a possibilidade de abolir o Estado "do dia para a noite".

---

4 Partidários da corrente socialista francesa liderada pelo proeminente representante do comunismo utópico francês, Louis-Auguste Blanqui (1805-1881). Para Lênin, os blanquistas esperavam "a libertação da humanidade da escravidão assalariada não por meio da luta do proletariado, mas por meio da conspiração de uma pequena minoria de intelectuais". Vladímir Ilitch Lênin, *Сочинения/ Sotchinénia* (5. ed.), v. 13, p. 76. (N. E. R. A.)

5 Friedrich Engels, *Sobre a questão da moradia*, cit., p. 112.

84 O ESTADO E A REVOLUÇÃO

Diante da completa deturpação, por parte da hoje dominante doutrina "social-democrata", da atitude do marxismo em relação ao anarquismo na questão da extinção do Estado, é especialmente útil recordar certa polêmica de Marx e Engels com os anarquistas.

2. A POLÊMICA COM OS ANARQUISTAS

Essa polêmica data de 1873. Marx e Engels escreveram artigos contra proudhonistas[6], "autonomistas" ou "antiautoritaristas" para uma coletânea socialista italiana, e foi apenas em 1913 que esses textos apareceram em tradução alemã na *Neue Zeit*[7]. Escrevia Marx, troçando dos anarquistas e da sua rejeição da política:

> Se a luta política da classe trabalhadora assume formas violentas, se os trabalhadores substituem a ditadura da burguesia por sua ditadura revolucionária, eles cometem o terrível crime de violação de princípios, pois, para satisfazerem suas patéticas e profanas necessidades cotidianas, para quebrarem a resistência da burguesia, conferem ao Estado uma forma revolucionária e transitória, em vez de deporem as armas e abolirem o Estado.[8]

Foi exclusivamente contra essa "abolição" do Estado que Marx se colocou ao refutar os anarquistas! Não foi de modo nenhum contra o fato de

---

6 Corrente que deve o nome a seu ideólogo, o anarquista francês Pierre-Joseph Proudhon. Ao mesmo tempo que criticava a grande produção capitalista, Proudhon e seus adeptos valorizavam a pequena produção mercantil, rejeitando a luta política, os partidos políticos, os sindicatos e as greves. Também nutriam projetos utópicos de suprimir a exploração por meio da criação de cooperativas de produção, de crédito e de consumo, da troca de mercadorias e da liquidação pacífica do Estado. Inspirado por posições anarquistas, Proudhon rejeitava a luta de classes, a revolução proletária e a ditadura do proletariado. Marx e Engels se opuseram ao proudhonismo na Primeira Internacional, e o primeiro fez uma crítica implacável das concepções dessa corrente na obra *Miséria da filosofia*. Lênin denominava os proudhonistas de "burgueses e filisteus covardes" e os considerava incapazes de se imbuir do ponto de vista da classe trabalhadora. (N. E. R. A.)

7 Trata-se do artigo de Marx "O indiferentismo político" e do artigo de Engels "Da autoridade", publicados em dezembro de 1873 na coletânea italiana *Almanacco Repubblicano per l'anno 1874* [Almanaque republicano para o ano de 1874] e, mais tarde, em 1913, publicados em tradução alemã na revista *Die Neue Zeit*. Ver o artigo "Da autoridade", em Karl Marx e Friedrich Engels, *Obras escolhidas* (Lisboa, Avante!, 1985), t. 2, p. 407-10. (N. E. R.)

8 Karl Marx, "Der politische Indifferentismus", *Die Neue Zeit*, ano 32, v. 1, 1913-1914, p. 40.

que o Estado desaparece com o desaparecimento das classes, ou será abolido com sua abolição, mas contra os operários recusarem o emprego das armas, a violência organizada, *ou seja, o Estado*, que deve servir o objetivo de "quebrar a resistência da burguesia".

Marx sublinha intencionalmente – para que não se deturpe o verdadeiro sentido de sua luta contra o anarquismo – a "forma revolucionária e *transitória*" do Estado necessário ao proletariado. O proletariado só precisa do Estado durante algum tempo. Não divergimos de modo nenhum dos anarquistas na questão da abolição do Estado como *objetivo*. Afirmamos que, para atingir esse objetivo, é necessário utilizar temporariamente os instrumentos, os meios e os métodos do poder de Estado *contra* os exploradores, como, para extinguir as classes, é necessária a ditadura temporária da classe oprimida. Marx escolheu a maneira mais incisiva e mais clara de colocar a questão contra os anarquistas: devem os operários, ao derrubar o jugo dos capitalistas, "depor as armas" ou utilizá-las contra os capitalistas, a fim de quebrar sua resistência? E o uso sistemático das armas de uma classe contra a outra, o que é senão uma "forma transitória" de Estado?

Que cada social-democrata pergunte a si mesmo: foi *assim* que ele apresentou a questão do Estado na polêmica com os anarquistas? Foi *assim* que apresentou essa questão a imensa maioria dos partidos socialistas oficiais da Segunda Internacional?

Engels expõe as mesmas ideias de maneira ainda mais detalhada e ainda mais popular. Em primeiro lugar, ridiculariza a confusão de ideias dos proudhonistas, que se chamavam "antiautoritaristas", ou seja, negavam qualquer autoridade, qualquer subordinação, qualquer poder. Pegue uma fábrica, uma estrada de ferro, um navio no alto-mar, diz Engels, não é claro que, sem certa subordinação – portanto, sem certa autoridade ou poder –, é impossível o funcionamento de qualquer dessas empresas técnicas complicadas, baseadas no emprego de máquinas e na colaboração planificada de muitas pessoas? Escreve Engels:

> Quando submeti semelhantes argumentos aos antiautoritaristas mais furiosos, *eles* só souberam responder-me: "Ah! Isso é verdade, mas aqui não se trata de

uma autoridade que damos aos delegados, *mas de um encargo!*" Esses senhores julgam ter mudado as coisas quando lhes mudaram o nome.[9]

Depois de ter assim mostrado que autoridade e autonomia são conceitos relativos, que o domínio de sua aplicação varia com as diferentes fases do desenvolvimento social, que é absurdo tomá-las como absolutas, depois de ter acrescentado que o domínio do emprego das máquinas e da grande indústria se alarga cada vez mais, Engels passa dos raciocínios gerais sobre a autoridade à questão do Estado:

> Se os autonomistas se limitassem a dizer que a organização social do futuro restringirá a autoridade aos limites apenas nos quais as condições da produção a tornam inevitável, isso poderia entender-se; em vez disso, permanecem cegos a todos os fatos que tornam necessária a coisa, e atiram-se contra a palavra.
>
> Por que não se limitam os antiautoritaristas a gritar contra a autoridade política, contra o Estado? Todos os socialistas estão de acordo em que o Estado político e com ele a autoridade política desaparecerão em consequência da próxima revolução social, e isso quer dizer que as funções públicas perderão o seu caráter político e se transformarão em simples funções administrativas, que velam pelos verdadeiros interesses sociais. Mas os antiautoritaristas pedem que o Estado político autoritário seja abolido de uma penada, antes ainda de se tiverem destruído as condições sociais que o fizeram nascer. Eles pedem que o primeiro ato da revolução social seja a abolição da autoridade.
>
> Nunca viram uma revolução, esses senhores? Uma revolução é certamente a coisa mais autoritária que há; é o ato pelo qual uma parte da população impõe à outra parte a sua vontade por meio de espingardas, baionetas e canhões, ou seja, meios autoritários por excelência; e o partido vitorioso, se não quer ter combatido em vão, deve continuar esse domínio com o terror que as suas armas inspiram aos reacionários. Teria a Comuna de Paris durado um só dia, se não se tivesse servido dessa autoridade de povo armado face aos burgueses? Não se lhe pode reprovar, pelo contrário, o não ter-se servido bastante largamente dela? Logo, de duas uma: ou os antiautoritaristas não sabem o que dizem, e nesse caso apenas semeiam a confusão, ou sabem-no, e nesse caso atraiçoam o movimento proletário. Num caso e no outro, servem a reação. (p. 39.)[10]

9   Friedrich Engels, "Da autoridade", cit., p. 409.

10 Ibidem, p. 409-10.

Nesse raciocínio são abordadas questões que convém examinar em ligação com o tema da correlação entre a política e a economia quando do definhamento do Estado (a esse tema é dedicado o próximo capítulo). Tais são as questões sobre a transformação das funções públicas de funções políticas em simplesmente administrativas e sobre o "Estado político". Essa última expressão, particularmente suscetível de causar mal-entendidos, aponta para o processo de definhamento do Estado: o Estado em extinção, certo grau da sua extinção, pode-se chamar de Estado não político.

O que há novamente de mais notável nesse raciocínio de Engels é a maneira como a questão contra os anarquistas se apresenta. A contar de 1873, os sociais-democratas, que pretendem ser discípulos de Engels, já discutiram milhões de vezes com os anarquistas, mas *não* discutiram justamente como podem e devem discutir os marxistas. A representação anarquista da abolição do Estado é confusa e *não revolucionária* – eis como Engels expunha a questão. É justamente a revolução, em sua origem e desenvolvimento, em suas tarefas específicas em relação à violência, à autoridade, ao poder, ao Estado, que os anarquistas não querem ver.

A crítica habitual do anarquismo reduziu-se nos sociais-democratas contemporâneos à mais pura vulgaridade filistina: "Nós reconhecemos o Estado, e os anarquistas não!". Compreende-se por que tal vulgaridade não pode deixar de repelir os trabalhadores minimamente pensantes e revolucionários. Engels diz outra coisa: ele destaca que todos os socialistas reconhecem o desaparecimento do Estado como consequência da revolução socialista. Em seguida, aponta a questão concreta da revolução, precisamente a questão a que os sociais-democratas habitualmente se esquivam por oportunismo, deixando-a, por assim dizer, aos anarquistas para "estudo" exclusivo. E, ao tratar disso, Engels agarra o touro pelos chifres: não deveria a Comuna ter se servido *mais* do poder *revolucionário do Estado*, ou seja, do proletariado armado, organizado como classe dominante?

A social-democracia oficial dominante desviava geralmente da questão das tarefas concretas do proletariado na revolução, quer com uma simples troça de filisteu, quer, no melhor dos casos, com este sofisma evasivo: "Veremos". E os anarquistas tinham o direito de dizer contra tal social-democracia

88 O ESTADO E A REVOLUÇÃO

que ela faltava a sua tarefa da educação revolucionária dos trabalhadores. Engels aproveita a experiência da última revolução proletária justamente para estudar, da maneira mais concreta, o que e como o proletariado deve fazer tanto em relação aos bancos como em relação ao Estado.

3. CARTA A BEBEL

Um dos raciocínios mais notáveis, senão o mais notável, nas obras de Marx e Engels sobre a questão do Estado é a seguinte passagem na carta de Engels a Bebel de 18 a 28 de março de 1875[11]. Essa carta, notemos entre parênteses, foi impressa, tanto quanto sabemos, pela primeira vez por Bebel, no segundo volume de suas memórias (*Aus meinem Leben* [Sobre minha vida]), publicado em 1911, ou seja, 36 anos depois de sua redação e de seu envio.

Engels escrevia o seguinte a Bebel, criticando o mesmo projeto do Programa de Gotha que também Marx criticava na célebre carta a Bracke[12] e falando especialmente da questão do Estado:

O Estado popular livre transformou-se no Estado livre. Em seu sentido gramatical, um Estado livre é aquele Estado que é livre em relação a seus cidadãos, portanto, um Estado com governo despótico. Dever-se-ia ter deixado de lado todo esse palavreado sobre o Estado, sobretudo depois da Comuna, que já não era um Estado em sentido próprio. O *Estado popular* foi sobejamente jogado em nossa cara pelos anarquistas, embora já o escrito de *Marx contra Proudhon*[13] e, mais tarde, o *Manifesto Comunista* digam de maneira explícita que, com a instauração da ordem socialista da sociedade, o Estado dissolve-se por si só (*sich auflöst*) e desaparece. Não sendo o Estado mais do que uma instituição transitória, da qual alguém se serve na luta, na revolução, para submeter violentamente seus adversários, então é puro absurdo falar de um Estado popular livre: enquanto o proletariado ainda *faz uso do* Estado, ele o usa não no interesse

11 "Friedrich Engels a August Bebel (março de 1875)", em Karl Marx, *Crítica do Programa de Gotha* (trad. Rubens Enderle, São Paulo, Boitempo, 2012), p. 51-9.

12 "Friedrich Engels a Wilhelm Bracke (outubro de 1875)", em ibidem, p. 60-3.

13 Trata-se da obra de Marx *Miséria da filosofia* (trad. José Paulo Netto, São Paulo, Boitempo, 2017). (N. E. R.)

da liberdade, mas para submeter seus adversários e, a partir do momento em que se pode falar de liberdade, o Estado deixa de existir como tal. Por isso, nossa proposta seria substituir, por toda parte, a palavra *Estado* por *Gemeinwesen* [comunidade], uma boa e velha palavra alemã, que pode muito bem servir como equivalente do francês *comunne* [comuna]. (original alemão, p. 321-2.)[14]

É preciso ter em vista que essa carta se refere ao programa do partido, o qual Marx criticara em correspondência com data de apenas algumas semanas após essa carta em questão (a de Marx é de 5 de maio de 1875), e que Engels vivia então em Londres com Marx. Por isso, ao dizer "nossa" na última frase, Engels, sem dúvida nenhuma em seu próprio nome e no de Marx, propõe ao chefe do partido operário alemão a *exclusão* da palavra "Estado" *do programa* e sua substituição pela palavra "*comunidade*".

Que gritaria sobre "anarquismo" não fariam os chefes do "marxismo" atual, falsificado segundo a conveniência dos oportunistas, se lhes fosse proposta tal emenda ao programa!

Que gritem. A burguesia os agradecerá por isso.

Mas nós faremos nossa obra. Ao rever o programa de nosso partido, deveremos ter em absoluta conta o conselho de Engels e de Marx, para estarmos mais perto da verdade, para restabelecermos o marxismo depurando-o das deturpações, para melhor orientar a luta da classe operária por sua emancipação. Entre os bolcheviques, é certo que não há adversários do conselho de Engels e de Marx. Difícil será, talvez, apenas no termo. Em alemão, existem duas palavras para "comunidade", das quais Engels escolheu aquela que designa *não* uma comunidade separada, mas um conjunto delas, um sistema de comunidades. Tal palavra não existe em russo, e será preciso talvez escolher a palavra "comuna", apesar de isso também apresentar seus inconvenientes.

"A Comuna [...] não era um Estado em sentido próprio" – eis a afirmação mais importante de Engels do ponto de vista teórico. Depois do que já foi exposto, essa afirmação é perfeitamente compreensível. A Comuna *deixava* de ser um Estado na medida em que lhe cabia reprimir não a maioria da

---

14 "Friedrich Engels a August Bebel (março de 1875)", cit., p. 56.

população, mas a minoria (os exploradores); ela havia quebrado a máquina de Estado burguesa; em vez de uma força *especial* para a repressão, entrou em cena a própria população. Tudo isso é um afastamento do Estado em sentido próprio. E se a Comuna se tivesse consolidado, "morreriam" nela por si próprios os vestígios do Estado, não teria tido necessidade de "abolir" suas instituições: elas teriam deixado de funcionar à medida que não tivessem mais o que fazer.

"O *Estado popular* foi sobejamente jogado em nossa cara pelos anarquistas"; ao dizer isso, Engels tem em vista em primeiro lugar Bakúnin e seus ataques contra os sociais-democratas alemães. Engels reconhece que esses ataques são justos *na medida em que* o "Estado popular" é tão absurdo e tão afastado do socialismo quanto o "Estado popular livre". Engels esforça-se por corrigir a luta dos sociais-democratas alemães contra os anarquistas, por fazer dela uma luta justa em seus princípios, por depurá-la dos preconceitos oportunistas acerca do "Estado". É uma pena que a carta de Engels tenha jazido numa gaveta durante 36 anos. Veremos adiante que, mesmo depois da publicação dessa carta, Kautsky, em essência, repete insistentemente aqueles mesmos erros contra os quais Engels prevenira.

Bebel respondeu a Engels pela carta de 21 de setembro de 1875, na qual escrevia, entre outras coisas, que "concordava completamente" com seu juízo sobre o projeto de programa e que censurava Liebknecht por sua transigência (memórias de Bebel, ed. alemã, v. 2, p. 334)[15]. Mas, se tomarmos a brochura de Bebel *Unsere Ziele* [Nossas metas], encontraremos nela raciocínios absolutamente falsos a respeito do Estado: "O Estado deve, portanto, ser transformado, de um Estado assente no *domínio de classe*, num *Estado popular*" (*Unsere Ziele*, ed. alemã, 1886, p. 14)[16].

Eis o que está impresso na 9ª (nona!) edição da brochura de Bebel! Não é de admirar que uma repetição tão insistente dos raciocínios oportunistas sobre o Estado tenha impregnado a social-democracia alemã, sobretudo quan-

---

15 August Bebel, *Aus meinem Leben* (Stuttgart, Dietz, 1910), v. 2, p. 334.

16 Idem, *Unsere Ziele. Eine Streitschrift gegen die "Demokratische Korrespondenz"* (Hottingen-Zurique, Verlag der Volksbuchhandlung, 1886), p. 14.

do as explicações revolucionárias de Engels estavam metidas numa gaveta, e que todas as circunstâncias da vida por muito tempo estiveram "afastadas" da revolução.

4. A CRÍTICA DO PROJETO DO PROGRAMA DE ERFURT

A crítica do projeto do Programa de Erfurt[17] enviada por Engels a Kautsky em 29 de junho de 1891 e publicada apenas dez anos depois na *Neue Zeit* não pode ser ignorada ao se analisar a doutrina do marxismo sobre o Estado, porque, além de tudo, é consagrada justamente à crítica das concepções *oportunistas* da social-democracia nas questões da organização do *Estado*.

Notemos de passagem que, no que diz respeito às questões econômicas, Engels fornece igualmente uma indicação das mais valiosas, que mostra quão atenta e refletidamente seguiu as transformações do capitalismo moderno e como soube prever, em certa medida, as tarefas de nossa época, a imperialista. Aqui está a indicação: a propósito das palavras "ausência de planificação" (*Planlosigkeit*) empregadas no projeto de programa para caracterizar o capitalismo, Engels escreve: "E se passarmos das sociedades por ações aos trustes, que dominam e monopolizam ramos inteiros da indústria, acaba-se não apenas a *produção privada*, mas também a ausência de plano" (*Neue Zeit*, ano 20, t. 1, 1901-1902, p. 8)[18].

Temos aqui o que há de mais fundamental na apreciação teórica do capitalismo moderno, ou seja, do imperialismo: o capitalismo se transforma em *capitalismo* monopolista. É preciso destacar esse termo, pois o erro mais

---

17 Programa do partido social-democrata alemão, aprovado em outubro de 1891 no Congresso de Erfurt. O Programa de Erfurt foi um passo adiante em comparação com o Programa de Gotha (1875); em suas bases estava colocada a doutrina marxista sobre a morte do modo de produção capitalista e sua substituição pelo socialismo; nele destaca-se a necessidade de a classe trabalhadora conduzir a luta política, desempenhando o papel de dirigente dessa luta política no partido etc.; mas havia, ainda, grandes concessões. A crítica detalhada do projeto original do programa foi feita por Engels no trabalho "Para a crítica do projeto de programa social-democrata de 1891" [Karl Marx e Friedrich Engels, *Obras escolhidas*, cit., t. 3, p. 478-89], extensível a toda a Segunda Internacional. Lênin considerava que a principal falha era a omissão do Programa de Erfurt sobre a ditadura do proletariado. (N. E. R. A.)

18 Ibidem, p. 481.

difundido é a afirmação reformista burguesa de que o capitalismo monopolista ou monopolista de Estado *já não* é capitalismo, já pode ser chamado de "socialismo de Estado", e assim por diante. Naturalmente, os trustes até agora não fizeram, não fazem nem podem fazer uma planificação completa. Mas visto que são eles que fazem a planificação, visto que são os magnatas do capital que calculam antecipadamente o volume da produção em escala nacional e mesmo internacional, visto que são eles que a regulam de maneira planificada, nós permanecemos, apesar de tudo, no *capitalismo*, embora seja em um novo estágio dele, mas sem dúvida no capitalismo. A "proximidade" *desse* capitalismo com o socialismo deve ser, para os verdadeiros representantes do proletariado, um argumento a favor da proximidade, da facilidade, da exequibilidade, da urgência da revolução socialista – de modo nenhum um argumento para se referir de maneira tolerante à negação dessa revolução e ao embelezamento do capitalismo, que é ao que se dedicam todos os reformistas.

Mas voltemos à questão do Estado. Engels dá aqui três tipos de indicações especialmente valiosas: em primeiro lugar, sobre a questão da república; em segundo lugar, sobre a ligação da questão nacional com a organização do Estado; em terceiro lugar, sobre a autoadministração local.

No que diz respeito à república, Engels fez disso o centro de gravidade de sua crítica do projeto de programa de Erfurt. E se nos lembrarmos do significado que o programa de Erfurt adquiriu para toda a social-democracia internacional e de como se tornou modelo para toda a Segunda Internacional, pode-se dizer sem exagero que Engels critica aqui o oportunismo de toda a Segunda Internacional. "As reivindicações políticas do projeto", escreve, "têm um grande defeito. Aquilo que propriamente devia ser dito *não está lá*" (grifo de Engels)[19].

Adiante explica que a Constituição alemã é propriamente uma cópia da extremamente reacionária Constituição de 1850, que o Reichstag é apenas, segundo expressão de Wilhelm Liebknecht, a "parra do absolutismo", que, na

19 Ibidem, p. 483.

base de uma Constituição que legaliza os pequenos Estados e a união dos pequenos Estados alemães, querer realizar a "transformação de todos os meios de trabalho em propriedade comum" é "a olhos vistos um contrassenso".

"Tocar nisso é, porém, perigoso", acrescenta Engels, que sabe muito bem que na Alemanha não se pode apresentar legalmente no programa a reivindicação da república. Mas Engels não se satisfaz pura e simplesmente com essa consideração evidente, com que "todos" se contentam. Prossegue:

> Não obstante, a coisa tem de ser atacada de uma maneira ou de outra. A necessidade disto prova-a precisamente agora o oportunismo que ganha terreno (*einreissende*) numa grande parte da imprensa social-democrata. Temendo uma restauração da lei antissocialista[20] ou recordando todas aquelas afirmações precipitadas que caíram sob a alçada dessa lei, deveria agora de repente a atual situação jurídica na Alemanha bastar ao partido para levar a cabo todas as suas reivindicações por via pacífica.[21]

Que os sociais-democratas alemães agiam temendo a restauração da lei de exceção, isso é fato fundamental que Engels põe em primeiro plano e chama, sem hesitar, de oportunismo, declarando que, devido justamente à ausência de república e de liberdade na Alemanha, são absolutamente insensatos os sonhos de uma via "pacífica". Engels é suficientemente cuidadoso para não atar as próprias mãos. Reconhece que, nos países com república ou com uma liberdade muito grande, "se pode conceber" (somente "conceber"!) um desenvolvimento pacífico para o socialismo, mas, na Alemanha, repete,

> na Alemanha, onde o governo é quase todo-poderoso e o Reichstag e todos os outros corpos representativos estão sem poder efetivo, proclamar algo de seme-

---

20 A lei de exceção contra os socialistas foi introduzida na Alemanha em 1878 pelo governo de Bismarck para combater o movimento operário e socialista. Essa lei proibiu todos os partidos social-democratas, as organizações operárias de massas e a imprensa operária. A literatura socialista foi apreendida; sociais-democratas foram perseguidos e degredados. Contudo, a repressão não destruiu o partido, cuja atividade foi reorganizada de acordo com as condições da ilegalidade. Ao mesmo tempo o partido utilizou as possibilidades legais para reforçar suas ligações com as massas, e sua influência cresceu constantemente: de 1878 a 1890, o número de votos nos sociais-democratas nas eleições para o Reichstag triplicou. Sob a pressão do movimento de massas e do movimento operário, a lei de exceção contra os socialistas foi abolida em 1890. (N. E. R. A.)

21 Friedrich Engels, "Para a crítica do projeto de programa", cit., p. 483.

lhante, na Alemanha, e ainda por cima sem ser preciso, significa tirar a parra do absolutismo e colocá-la em si mesmo para cobrir a própria nudez.[22]

Os chefes oficiais do partido social-democrata alemão se revelaram de fato, em sua imensa maioria, encobridores do absolutismo, ao "arquivar" essas indicações.

Tal política só pode confundir, no fim das contas, o próprio partido. Trazem-se para primeiro plano questões políticas gerais, abstratas, e escondem-se, por esse fato, as questões concretas mais próximas, as questões que logo nos primeiros acontecimentos grandes, na primeira crise política, colocam-se a si mesmas na ordem do dia. O que pode resultar daí senão que, de repente, no momento decisivo o partido se ponha perplexo de que sobre os pontos mais decisivos domina a falta de clareza e a falta de unidade, porque esses pontos nunca foram discutidos? [...]

Esse esquecer dos grandes pontos de vista principais de acordo com os interesses da ordem do dia, esse lutar pelo e aspirar ao sucesso do momento sem olhar para as consequências, esse abandonar do futuro do movimento por causa do presente do movimento pode ser feito por motivos "honrados". Mas é e permanece sendo oportunismo, e o oportunismo "honrado" é talvez o mais perigoso de todos.

Se algo é passível de dúvida é que nosso partido e a classe trabalhadora só podem chegar ao poder sob a forma da república democrática. Esta é mesmo a forma específica para a ditadura do proletariado, como já mostrou a grande Revolução Francesa.[23]

Engels repete aqui, com especial destaque, a ideia fundamental que passa como um fio vermelho por todas as obras de Marx, a saber, que a república democrática é a via de acesso mais próxima para a ditadura do proletariado. Isso porque tal república, não eliminando de modo nenhum o domínio do capital e, consequentemente, a opressão das massas e a luta de classes, conduz inevitavelmente a tal alargamento, desenvolvimento, patentização, agravamento dessa luta que, uma vez que surge a possibilidade de satisfazer os interesses fundamentais das massas oprimidas, essa possibilidade se realiza

---

22 Ibidem, p. 484.

23 Ibidem, p. 484-5.

EXPLICAÇÕES COMPLEMENTARES DE ENGELS 95

inevitável e unicamente na ditadura do proletariado, na direção dessas massas pelo proletariado. Para toda a Internacional essas são também "palavras esquecidas" do marxismo, e seu esquecimento foi revelado com extraordinária clareza pela história do partido dos mencheviques durante o primeiro meio ano da Revolução Russa de 1917.

Sobre a questão da república federativa em sua relação com a composição nacional da população, Engels escreveu:

> O que deve substituir a atual Alemanha (com sua Constituição monárquica reacionária e a igualmente reacionária divisão em pequenos Estados, divisão que perpetua as particularidades do "prussianismo", em lugar de dissolvê-las na Alemanha como um todo)? Para mim, o proletariado só pode utilizar a forma da república una e indivisível. A república federativa é ainda agora de todo uma necessidade no território gigantesco dos Estados Unidos, apesar de, no Leste, já se tornar um obstáculo. Seria um progresso na Inglaterra, onde em ambas as ilhas habitam quatro nações e apesar de um parlamento único subsistem lado a lado ainda agora sistemas de leis de três tipos. Já se tornou há muito um obstáculo na pequena Suíça, suportável apenas porque a Suíça se contenta em ser um membro puramente passivo do sistema europeu de Estados. Para a Alemanha, a helvetização federalista seria um enorme passo para trás. Dois pontos diferenciam o Estado federal do Estado unitário: que cada Estado singular federado, cada cantão, tem suas próprias legislação civil e legislação criminal e sua própria organização judicial e, depois, que subsiste ao lado da Câmara do Povo uma Câmara dos Estados, em que cada cantão, grande ou pequeno, vota como tal. Na Alemanha, o Estado federal é a transição para um Estado plenamente unitário, e não se deve voltar atrás com a "revolução feita de cima" dos anos 1866 e 1870, mas completá-la com um "movimento de baixo".[24]

Engels não só não revela indiferença em relação à questão das formas do Estado, como, pelo contrário, se esforça por analisar com o devido cuidado justamente as formas de transição, a fim de determinar, em função das particularidades históricas concretas de cada caso, *de que e para que* a dada forma é a transição.

---

24 Ibidem, p. 485-6. O comentário entre parênteses é de Lênin. (N. E.)

Engels, assim como Marx, defende, do ponto de vista do proletariado e da revolução proletária, o centralismo democrático, a república unitária e indivisível. Considera a república federativa quer como uma exceção e um obstáculo ao desenvolvimento, quer como uma transição da monarquia para a república centralizada, como um "passo adiante" em direção a certas condições especiais. Entre essas condições especiais, destaca-se a questão nacional.

Em Engels, assim como em Marx, não obstante sua crítica implacável ao caráter reacionário dos pequenos Estados e do encobrimento desse caráter reacionário com a questão nacional em determinados casos concretos, não se encontra em lugar nenhum nem sombra de tendência de desviar da questão nacional, tendência em que frequentemente pecam os marxistas holandeses e polacos, partindo da luta legítima contra o nacionalismo estreito e filistino de "seus" pequenos Estados.

Mesmo na Inglaterra, onde tanto as condições geográficas quanto a comunidade linguística, bem como uma história de muitos séculos, pareceriam "ter liquidado" a questão nacional nas diversas pequenas divisões da Inglaterra, mesmo aqui Engels tem em conta o fato evidente de que a questão nacional ainda não foi superada e, por isso, reconhece a república federativa como "progresso". Compreende-se que aqui não há sombra de renúncia nem à crítica dos defeitos da república federativa, nem à propaganda e à luta mais decididas a favor da república unitária democrática e centralizada.

Mas Engels não concebe de modo nenhum o centralismo democrático no sentido burocrático em que usam esse conceito os ideólogos burgueses e pequeno-burgueses e, entre estes últimos, os anarquistas. O centralismo para Engels não exclui de forma nenhuma a ampla autoadministração local, contanto que as "comunas" e as regiões defendam voluntariamente a unidade do Estado e eliminem todo o burocratismo e todo o "comando" vindo de cima.

"Portanto, república unitária", escreve Engels, desenvolvendo as concepções programáticas do marxismo sobre o Estado,

> mas não no sentido da [república] francesa de hoje, que não é mais do que o império sem o imperador fundado em 1798. De 1792 a 1798, cada departamento francês, cada comuna (*Gemeinde*), possuiu completa autogovernação, segundo o modelo estadunidense, e isso teremos nós também de ter. Como instaurar a

EXPLICAÇÕES COMPLEMENTARES DE ENGELS 97

autogovernação e como se pode passar sem a burocracia, isso demonstram-nos os Estados Unidos da América e a primeira república francesa e, ainda hoje, a Austrália, o Canadá e as outras colônias inglesas. E tal autogovernação regional (provincial) e comunal é, de longe, mais livre do que, por exemplo, o federalismo suíço, onde o cantão é, sem dúvida, muito independente face à federação (isto é, face ao Estado federativo no conjunto), "mas também o é face ao distrito (*Bezirk*) e à comuna. Os governos cantonais nomeiam governadores de distrito (*Bezirksstatthalter*) e prefeitos, de que nos países de língua inglesa nada se sabe e de que, no futuro, nós queremos ter nos livrado tão resolutamente como dos conselheiros provinciais e dos conselheiros governamentais prussianos (comissários, chefes da polícia municipal, governadores e, em geral, funcionários nomeados de cima).[25]

De acordo com isso, Engels propõe que se formule o ponto do programa sobre a autoadministração do seguinte modo:

Completa autogovernação na província (*gubiérnia* ou região) no círculo e na comuna por funcionários eleitos por sufrágio universal. A abolição de todas as autoridades locais e de todas as autoridades provinciais nomeadas pelo Estado.[26]

No Правда/ *Pravda* (n. 68, 28 de maio de 1917)[27] fechado pelo governo de Keriénski e de outros ministros "socialistas", já tive oportunidade de

---

25 Ibidem, p. 486-7. Os comentários entre parênteses são de Lênin. (N. E.)

26 Idem. Os comentários entre parênteses são de Lênin. (N. E.)

27 Primeiro jornal operário legalizado da Rússia, começou a circular em São Petersburgo em 22 de abril (5 de maio) de 1912. A redação do *Pravda* sediava encontros com os representantes das células locais, recebia informações sobre o trabalho do partido nas fábricas e transmitia diretivas dos comitês.
O diário sofreu perseguição policial constante, tendo sido fechado em 8 (21) de julho de 1914. Sua edição foi retomada após a revolução democrático-burguesa de fevereiro de 1917. A partir de 5 (18) de março de 1917, tornou-se o órgão dos comitês central e de São Petersburgo do Partido Operário Social-Democrata Russo (POSDR). Pouco depois, Lênin assumiu sua redação.
Entre junho e outubro de 1917, trocou sucessivamente de título: Листок Правды/ *Listok Právdi*, Пролетарий/ *Proletári*, Рабочий/ *Rabótchi*, Рабочий путь/ *Rabótchi Put*. Com a vitória da Revolução Socialista, o jornal retomou o antigo nome.
Há avaliações de Lênin sobre o *Pravda* nos artigos "Итоги полугодовой работы"/ "Itogui polugodovoi rabóti" [Resultados dos trabalhos semestrais], "Рабочие и Правда"/ "Rabótchi i Pravda" [Os trabalhadores e o *Pravda*], "Рабочий класс и рабочая печать"/ "Rabótchi klass i rabótchaia petchat" [A classe trabalhadora e a imprensa dos trabalhadores], "Доклад ЦК РСДРП и инструктивные указания делегации ЦК на Брюссельском совещании"/ "Doklad TSK RSDRP i instruktivnie ukazania delegatsi TSK na Briusselskom soveschani" [Resumo do Comitê Central do POSDR e das diretivas do Comitê Central para a Conferência de Bruxelas], "К итогам дня рабочей печати"/

assinalar como, neste ponto – evidentemente longe de ser o único –, nossos representantes pseudossocialistas de uma pseudodemocracia pseudorrevolucionária se afastaram escandalosamente *do democratismo*[28]. Compreende-se que homens que se ligaram por uma "coligação" com a burguesia imperialista tenham permanecido surdos a essas indicações.

É de suma importância notar que Engels, com fatos na mão, refuta, com base num exemplo muito preciso, o preconceito insistentemente divulgado – sobretudo entre a democracia pequeno-burguesa –, segundo o qual uma república federativa significa necessariamente mais liberdade que uma república centralista. Isso é falso. Os fatos citados por Engels relativos à república francesa centralista de 1792-1798 e à república federalista suíça refutam isso. A república centralista verdadeiramente democrática dava *mais* liberdade que a república federalista. Em outras palavras, a *maior* liberdade local, regional, e assim por diante, conhecida na história foi dada pela república *centralista*, e não pela federativa.

A esse fato, como em geral a toda a questão da república federativa e centralista e da autoadministração local, foi e é dada insuficiente atenção por parte de nossa propaganda e de nossa agitação partidárias.

5. O PREFÁCIO DE 1891 À *GUERRA CIVIL* DE MARX

No prefácio à terceira edição de *A guerra civil na França* – datado de 18 de março de 1891 e impresso pela primeira vez na revista *Neue Zeit* –, Engels, a par de interessantes observações de passagem sobre questões ligadas à atitude em relação ao Estado, faz um resumo de um relevo notável dos ensinamentos

---

"K itogam dnia rabótchei petchati" [Para um balanço da imprensa operária], "К десятилетнему юбилею Правды"/ "K dessiatiletnemu iubileiu Právdy" [Para o décimo aniversário do *Pravda*]. Ver Vladímir Ilitch Lênin, *Sotchinénia* (5. ed.), v. 21, p. 427-40; v. 22, p. 69-71; v. 25, p. 227-34, 371-81 e 418-26; (4. ed.), v. 33, p. 312-5, entre outros. (N. E. R. A.)

Após a dissolução da União Soviética, em 1991, o jornal foi vendido a investidores gregos pelo governo Iéltsin. Em 1997, o Partido Comunista Russo retomou o *Pravda* como publicação oficial. (N. E.)

28 Ver Vladímir Ilitch Lênin, *Sotchinénia* (5. ed.), v. 32, p. 218-21.

da Comuna[29]. Esse resumo, enriquecido com toda a experiência do período de vinte anos que separava o autor da Comuna e especialmente dirigido contra a "fé supersticiosa no Estado", tão difundida na Alemanha, pode ser chamado com justiça de a *última palavra* do marxismo sobre a questão aqui abordada.

Na França, observa Engels, a cada revolução os trabalhadores permaneceram armados;

> por isso, o desarmamento dos trabalhadores era o primeiro imperativo para a burguesia no comando do Estado. Por isso, também, a cada revolução travada pelos trabalhadores seguia-se uma nova luta, que termina com a derrota dos trabalhadores.[30]

O balanço da experiência das revoluções burguesas é tão curto quanto expressivo. O fundo da questão – entre outras coisas também quanto à questão do Estado (*e a classe oprimida possui armas?*) – é captado aqui de forma notável. É precisamente ele que evitam, na maior parte das vezes, tanto os professores influenciados pela ideologia burguesa como os democratas pequeno-burgueses. Na revolução russa [de fevereiro] de 1917, coube ao "menchevique", "também marxista", Tseretéli a honra (honra à Cavaignac[31]) de trair esse segredo das revoluções burguesas. Em seu discurso "histórico", em 11 de junho, Tseretéli deixou escapar a decisão da burguesia de desarmar os operários de Petrogrado, apresentando naturalmente a decisão como sua e, em geral, como necessidade "de Estado"[32]!

---

29 Friedrich Engels, "Introdução à *Guerra civil na França*, de Karl Marx", em Karl Marx, *A guerra civil na França* (trad. Rubens Enderle, São Paulo, Boitempo, 2011), p. 187-97.

30 Ibidem, p. 188.

31 Referência ao general e político Louis-Eugène Cavaignac, que liderou a repressão do recém-formado governo republicano à insurreição operária de junho de 1848 em Paris. Após esse evento, chefiou a França com plenos poderes até dezembro do mesmo ano, quando foi derrotado eleitoralmente por Luís Bonaparte. (N. E.)

32 Trata-se da intervenção do menchevique Tseretéli, ministro do governo provisório, em 11 (24) de junho de 1917 na reunião conjunta da presidência do I Congresso dos Sovietes de Toda a Rússia, do Comitê Executivo do Soviete de Deputados Operários e Soldados de Petrogrado, do Comitê Executivo do Soviete de Deputados Operários e dos gabinetes de todas as frações do congresso. SRs e mencheviques aproveitaram o fato de estarem em maioria para atacar o partido bolchevique. Tseretéli declarou que a manifestação marcada pelos bolcheviques para 10 (23) de junho era uma conspiração pela derrubada do governo. Em sinal de protesto, os bolcheviques abandonaram a reunião. (N. E. R. A.)

O discurso histórico de Tseretéli em 11 de junho será, naturalmente, para qualquer historiador da Revolução de 1917, uma das ilustrações mais concretas da maneira como o bloco dos socialistas-revolucionários e dos mencheviques, dirigido pelo sr. Tseretéli, passou para o lado da burguesia *contra* o proletariado revolucionário.

Outra observação de passagem feita por Engels, também ligada à questão do Estado, diz respeito à religião. É sabido que a social-democracia alemã, à medida que apodrecia tornando-se cada vez mais oportunista, deslizava cada vez mais frequentemente para uma interpretação errônea e filistina da célebre fórmula: "A religião, *diante do Estado*, é uma questão meramente privada"[33]. Ou seja, essa fórmula era interpretada como se, *também para o partido* do proletariado revolucionário, a questão da religião fosse uma questão privada! Foi contra essa traição completa ao programa revolucionário do proletariado que se ergueu Engels, o qual, em 1891, observava apenas germes *muito fracos* de oportunismo em seu partido e, por isso, exprimia-se com mais cautela.

> Assim, a partir de 18 de março o caráter de classe do movimento parisiense, que até então estivera em segundo plano na luta contra a invasão estrangeira, emergiu de forma penetrante e nítida. Ou eles decretavam reformas que a burguesia republicana falhara em implementar por pura covardia, porém constituíam uma base necessária para a livre ação da classe trabalhadora – como a implementação do princípio de que a religião, *diante do Estado*, é uma questão meramente privada –, ou promulgaram decretos que iam diretamente ao encontro dos interesses da classe trabalhadora e que, em parte, feriam profundamente o antigo ordenamento social.[34]

Engels sublinhou intencionalmente as palavras "diante do Estado", desferindo um golpe direto no oportunismo alemão, que declarava a religião assunto privado *diante do partido* e rebaixava, assim, o partido do proletariado revolucionário ao nível do mais vulgar filistinismo "livre-pensador", pronto a admitir uma situação de arreligiosidade, mas que abdica da tarefa da luta *de partido* contra o ópio religioso que estupidifica o povo.

---

33 Friedrich Engels, "Introdução à *Guerra civil na França*, de Karl Marx", cit., p. 192.

34 Idem.

O historiador futuro da social-democracia alemã, ao estudar as raízes de sua vergonhosa bancarrota em 1914, encontrará não pouco material interessante sobre essa questão, começando com as declarações evasivas nos artigos do chefe ideológico do partido, Kautsky, que abrem de par em par as portas ao oportunismo, e acabando na atitude do partido relativamente ao "*Los--von-Kirche-Bewegung*" (movimento para a separação da Igreja), em 1913[35].

Mas voltemos a como Engels, vinte anos após a Comuna, fazia o balanço de suas lições para o proletariado em luta.

Eis as lições que ele colocava em primeiro plano:

> Precisamente o poder repressivo do governo centralizado até então existente, o poder do exército, da polícia política e da burocracia criados por Napoleão em 1798, desde então assumido por todo novo governo como um conveniente instrumento e usado contra seus adversários, precisamente este poder que devia cair por toda a parte, do mesmo modo como já caíra em Paris.

> Desde o primeiro momento, a Comuna teve de reconhecer que a classe trabalhadora, uma vez no poder, não podia continuar a operar com a velha máquina estatal; que essa classe trabalhadora, para não tornar a perder o poder que acabara de conquistar, tinha de, por um lado, eliminar a velha maquinaria opressora até então usada contra ela, enquanto, por outro lado, tinha de proteger-se de seus próprios delegados e funcionários, declarando-os, sem qualquer exceção, substituíveis a qualquer momento.[36]

Engels destaca, mais de uma vez, que não só na monarquia, mas *também na república democrática*, o Estado continua a ser Estado, ou seja, conserva seu traço distintivo fundamental: transformar os funcionários públicos, "servidores da sociedade", seus órgãos, em *senhores* dela.

Contra essa transformação do Estado e dos órgãos estatais de servidores da sociedade em senhores da sociedade, transformação inevitável em todos os

---

35 O *Los-von-Kirche-Bewegung* (movimento para a separação da Igreja), ou *Kirchenaustrittsbewegung* (movimento para a saída da Igreja), tomou um caráter de massas na Alemanha antes da Primeira Guerra Mundial. Em janeiro de 1914, começou nas páginas da *Die Neue Zeit* uma discussão sobre a atitude do Partido Social-Democrata da Alemanha em relação a isso. Destacados sociais-democratas não opuseram resistência aos revisionistas, para quem o partido devia se conservar neutro e proibir seus membros de fazer, em nome do partido, propaganda antirreligiosa e anticlerical. (N. E. R. A.)

36 Friedrich Engels, "Introdução à *Guerra civil na França*, de Karl Marx", cit., p. 195-6.

Estados até então existentes, a Comuna lançou mão de dois meios infalíveis. Primeiro, ela ocupou todos os cargos – administrativos, judiciais, educacionais – por meio de eleição pelo voto de todos os envolvidos, dando a estes o direito de demitir os eleitos a qualquer momento. Segundo, ela pagava a cada servidor, de alto e baixo escalão, apenas um salário igual ao dos outros trabalhadores. O salário mais alto era de 6 mil francos*. Com isso, fechou-se a porta para a caça por cargos e para o carreirismo, para não falar dos mandatos imperativos dos delegados aos corpos legislativos, que ainda foram acrescentados em profusão.[37]

Engels chega aqui àquele interessante limite em que a democracia consequente, por um lado, *transforma-se* em socialismo e, por outro lado, *reclama* o socialismo. Isso porque, para suprimir o Estado, é preciso transformar as funções do serviço de Estado em operações de controle e de registro tão simples que sejam acessíveis e realizáveis pela imensa maioria da população e, depois, por toda a população sem exceção. E a completa eliminação do carreirismo exige que o lugarzinho "de honra", ainda que não lucrativo, a serviço do Estado *não* sirva de trampolim para lugares altamente lucrativos nos bancos e nas sociedades por ações, como acontece *constantemente* em todos os países capitalistas mais livres.

Mas Engels não comete o erro que cometem, por exemplo, certos marxistas sobre a questão do direito das nações à autodeterminação: no capitalismo é impossível e no socialismo, supérfluo, alegam. Semelhante raciocínio, pretensamente espirituoso, mas de fato falso, poderia repetir-se a respeito de *qualquer* instituição democrática, incluindo o modesto vencimento dos funcionários, porque um democratismo até as últimas consequências é impossível no capitalismo, e no socialismo toda a democracia *definhará*.

---

* Nominalmente, cerca de 2.400 rublos; segundo o câmbio atual, cerca de 6 mil rublos. Procedem de maneira absolutamente imperdoável aqueles bolcheviques que propõem, por exemplo, vencimentos de 9 mil rublos nas dumas da cidade, não propondo estabelecer *para todo o Estado* o máximo de 6 mil rublos – soma suficiente. (N. A.)
Os números que Lênin indica como salários possíveis estão expressos em papel-moeda do segundo semestre de 1917. O rublo-papel foi consideravelmente desvalorizado na Rússia durante a Primeira Guerra Mundial. (N. E. R.)

37 Friedrich Engels, "Introdução à *Guerra civil na França*, de Karl Marx", cit., p. 196.

Isso é um sofisma como o que há naquela velha piada de que um homem só fica careca se não lhe sobrar mais nenhum fio de cabelo.

O desenvolvimento da democracia *até o fim*, a procura das *formas* desse desenvolvimento, sua comprovação *na prática* etc., tudo isso é uma das tarefas integrantes da luta pela revolução social. Tomado em separado, nenhum democratismo dá o socialismo, mas na vida o democratismo nunca será "tomado em separado"; antes, será "tomado juntamente com", exercerá sua influência também na economia, impelirá *sua* transformação, sofrerá a influência do desenvolvimento econômico etc. Tal é a dialética da história viva.

Engels prossegue:

> Essa explosão (*Sprengung*) do poder estatal até então existente, e sua substituição por um novo poder, verdadeiramente democrático, é descrita com detalhes na terceira parte de *A guerra civil*. Aqui se faz necessário, porém, expor uma vez mais alguns de seus aspectos, porque justamente na Alemanha a crença supersticiosa no Estado transferiu-se da filosofia para a consciência geral da burguesia e, até mesmo, de muitos trabalhadores. Segundo a representação filosófica, o Estado é a "efetivação da ideia" ou o reino de Deus na Terra traduzido para a língua filosófica, o âmbito em que a verdade e a justiça se efetivam ou devem se efetivar. Disso resulta uma reverência supersticiosa ao Estado e a tudo a ele ligado, reverência que se alastra mais rapidamente na medida em que as pessoas, desde a mais tenra infância, estão acostumadas a imaginar que os negócios e interesses comuns a toda a sociedade não podem ser geridos de outra maneira do que aquela em que o foram no passado, isto é, mediante o Estado e seus oficiais bem remunerados. E ainda se acredita que foi dado um grande passo ao se superar a crença na monarquia hereditária e prestar juramento à república democrática. Na realidade, porém, o Estado não é mais do que uma máquina para a opressão de uma classe por outra, e isso vale para a república democrática não menos que para a monarquia; na melhor das hipóteses, ele é um mal que o proletariado vitorioso herda na luta pelo domínio de classe e cujos piores aspectos o proletariado, assim como a Comuna, não pode evitar eliminar o mais prontamente possível, até que uma nova geração, crescida em condições sociais novas e livres, seja capaz de remover de si todo este entulho estatal.[38]

---

38 Ibidem, p. 196-7.

Engels estava advertindo os alemães para que não se esquecessem, no caso de substituição da monarquia pela república, das bases do socialismo na questão do Estado em geral. Suas advertências leem-se agora como lição direta aos senhores Tseretéli e Tchernov, que revelam em sua prática "coligacionista" uma fé supersticiosa no Estado e uma veneração supersticiosa por ele!

Duas observações ainda: 1) Se Engels diz que, numa república democrática, "não menos" que numa monarquia, o Estado continua a ser uma "máquina para a opressão de uma classe por outra", isso não significa de modo nenhum que a *forma* de opressão seja indiferente ao proletariado, como "ensinam" certos anarquistas. Uma *forma* mais ampla, mais livre, mais aberta, de luta de classes e de opressão de classe facilita de modo gigantesco a luta do proletariado pela supressão das classes em geral. 2) Por que somente uma nova geração será capaz de remover de si todo este entulho estatal é a questão ligada à questão da superação da democracia, a que vamos passar.

6. ENGELS SOBRE A SUPERAÇÃO DA DEMOCRACIA

Engels teve de se pronunciar sobre isso em relação à questão da inexatidão *científica* da denominação "social-democrata".

No prefácio à edição de seus artigos da década de 1870 sobre diversos temas, principalmente de conteúdo "internacional" (*Internationales aus dem "Volksstaat"* [Sobre temas internacionais do "Estado do povo"]), datado de 3 de janeiro de 1894, ou seja, um ano e meio antes da morte de Engels, ele escrevia que em todos os artigos se emprega a palavra "comunista", *não* "social-democrata", porque então se chamavam a si próprios sociais-democratas os proudhonistas na França, os lassallianos na Alemanha[39]. Engels prossegue:

---

39 Membros da Associação Geral de Operários Alemães, fundada em 1863 por Ferdinand Lassalle. A criação de um partido político de massas foi um passo adiante no desenvolvimento do movimento operário da Alemanha. A luta pelo sufrágio universal era proclamada programa político da associação, e a criação de associações operárias subsidiadas pelo Estado, seu programa econômico. Porém, na prática, os lassallianos apoiavam a política de grande potência de Bismarck. Marx e Engels criticaram repetida e severamente a teoria, a tática e os princípios organizativos do lassallianismo. (N. E. R. A.)

Para Marx e para mim, era, por isso, absolutamente impossível escolher, para designar nosso ponto de vista especial, uma expressão tão elástica. Hoje as coisas mudaram, e assim a palavra ("social-democrata") pode passar (*mag* [das Wort] *passieren*), ainda que continue a ser inadequada (*unpassend*, imprópria) para um partido cujo programa econômico não é meramente socialista em geral, mas diretamente comunista, e cujo objetivo político final é a superação de todo o Estado, portanto, também da democracia. Os nomes de partidos políticos *reais* (grifo de Engels), porém, nunca estão completamente certos; o partido desenvolve-se, o nome permanece.[40]

O dialético Engels, no ocaso de seus dias, permanece fiel à dialética. Marx e eu, diz, tínhamos um belo nome para o partido, cientificamente preciso, mas não existia partido proletário verdadeiro, ou seja, de massas. Agora (fim do século XIX), existe um verdadeiro partido, mas sua denominação é cientificamente imprecisa. Não interessa, "passa", desde que o partido *se desenvolva*, desde que a imprecisão científica de sua denominação não lhe seja escondida e não o impeça de se desenvolver na direção justa!

Talvez um espirituoso qualquer se pusesse a consolar também a nós, bolcheviques, à maneira de Engels: temos um verdadeiro partido, ele se desenvolve admiravelmente; "passa", também, essa palavra tão absurda e feia que é "bolchevique", que não exprime absolutamente nada, a não ser a circunstância puramente casual de que no Congresso de Bruxelas-Londres de 1903 tivemos a maioria[41]... Talvez agora, quando as perseguições de julho-agosto

---

40 Friedrich Engels, "Vorwort", *Internationales aus dem "Volkstaat"* (Berlim, Vorwärts, 1894), p. 6. Os comentários entre parênteses são de Lênin. (N. E.)

41 Trata-se do II Congresso do POSDR, realizado de 30 de julho a 23 de agosto de 1903. O congresso iniciou-se em Bruxelas, mas teve de ser transferido para Londres por motivo de perseguição. Nele foram debatidas a aprovação do programa e dos estatutos e a eleição dos órgãos dirigentes do partido. Pela primeira vez depois da morte de Marx, aprovou-se um programa que apresentava a luta pela ditadura do proletariado como tarefa fundamental. Durante a discussão dos estatutos, travou-se uma luta aguda em torno dos princípios organizativos do partido. Lênin e seus partidários desejavam condicionar a qualidade de membro à participação pessoal numa das organizações deste. Já Mártov preferia a colaboração pessoal regular ao partido sob a direção de uma de suas organizações. A formulação de Mártov foi aprovada por uma pequena maioria de votos. Contudo, no fundamental, o congresso aprovou os estatutos elaborados por Lênin, e seus partidários obtiveram a maioria (em russo, *bolchinstvó*) dos votos nas eleições para os órgãos centrais do partido; os de Mártov foram minoria (em russo, *menchinstvó*) e, por isso, passaram a se chamar mencheviques. (N. E. R. A.)

contra nosso partido pelos republicanos e a democracia pequeno-burguesa "revolucionária" tornaram a palavra "bolchevique" tão honrosa entre todo o povo, quando elas marcaram, além disso, um histórico e imenso passo adiante dado por nosso partido em seu desenvolvimento *real*, talvez eu mesmo hesitasse em minha proposta de abril de mudar a denominação de nosso partido[42]. Talvez propusesse a meus camaradas um "compromisso": chamarmo-nos Partido Comunista, mas conservar entre parênteses a palavra bolchevique...

No entanto, a questão da denominação do partido é incomparavelmente menos importante que a da atitude do proletariado revolucionário em relação ao Estado.

Nos raciocínios habituais sobre o Estado, comete-se constantemente o erro contra o qual Engels adverte aqui e que assinalamos de passagem na exposição anterior. A saber: esquece-se com frequência que a extinção do Estado é também a extinção da democracia, que o definhamento do Estado é o definhamento da democracia.

À primeira vista tal afirmação parece bastante estranha e incompreensível; talvez até surja em alguns o receio de que esperemos o advento de uma organização social em que não se observe o princípio da subordinação da minoria à maioria, pois não será a democracia justamente o reconhecimento de tal princípio?

Não. A democracia *não é* idêntica à subordinação da minoria à maioria. A democracia é um *Estado* que reconhece a subordinação da minoria à maioria, ou seja, uma organização para exercer a *violência* sistemática de uma classe sobre outra, de uma parte da população sobre outra.

Propomo-nos como objetivo final a supressão do Estado, ou seja, de toda violência organizada e sistemática, de toda violência sobre as pessoas em geral. Não esperamos o advento de uma ordem social em que o princípio da subordinação da minoria à maioria não seja observado. Mas, buscando o socialismo, estamos convencidos de que ele vai se transformar em

---

42 Ver Vladímir Ilitch Lênin, *Obras escolhidas* (Lisboa/Moscou, Avante!/Progresso, 1978), t. 2, p. 11-6. (N. E. P.)

comunismo e, nesse sentido, desaparecerá toda a necessidade da violência sobre as pessoas em geral, da *subordinação* de um ser humano a outro, de uma parte da população a outra parte dela, porque as pessoas *se habituarão* a observar as condições elementares da convivência social *sem violência e sem subordinação*.

A fim de sublinhar esse elemento do hábito, Engels fala da nova *geração*, "crescida em condições sociais novas e livres", "capaz de remover de si todo este entulho estatal"[43] – de qualquer Estado, incluindo aí o Estado democrático republicano.

Para esclarecer, faz-se necessário analisar a questão das bases econômicas do definhamento do Estado.

---

43 Friedrich Engels, "Introdução à *Guerra civil na França*, de Karl Marx", cit., p. 197.

CAPÍTULO 5
AS CONDIÇÕES ECONÔMICAS DO DEFINHAMENTO DO ESTADO

O estudo mais circunstanciado dessa questão foi feito por Marx em sua *Crítica do Programa de Gotha* (carta a [Wilhelm] Bracke, de 5 de maio de 1875, publicada somente em 1891, na *Neue Zeit*, v. IX, fasc. 1, e que saiu em russo em uma edição separada)[1]. A parte polêmica dessa obra notável, que contém a crítica do lassallianismo, obscureceu, por assim dizer, sua parte afirmativa: mais especificamente, a análise da conexão entre o desenvolvimento do comunismo e o definhamento do Estado.

1. A EXPLANAÇÃO DE MARX

Comparando superficialmente a carta de Marx a Bracke, de 5 de maio de 1875, com a carta de Engels a Bebel, de 28 de março de 1875[2], já examinada, pode parecer que Marx é muito mais "estatista" que Engels e que os dois escritores têm sobre o Estado ideias sensivelmente diferentes.

Engels convida Bebel a deixar de tagarelar a respeito do Estado e a banir completamente do programa a palavra "Estado" a fim de substituí-la por "comunidade"; Engels chega a dizer que a Comuna já não é um Estado no

---

1 Karl Marx, *Crítica do Programa de Gotha* (trad. Rubens Enderle, São Paulo, Boitempo, 2012), p. 19-22.

2 "Friedrich Engels a August Bebel (março de 1875)", em ibidem, p. 51-9.

sentido próprio do termo. Ao contrário, Marx fala do "Estado na sociedade comunista futura", ou seja, como se reconhecesse a necessidade do Estado mesmo no regime comunista.

No entanto, um ponto de vista como esse estaria fundamentalmente errado. Um estudo mais atento mostra que as ideias de Marx e de Engels a respeito do Estado e de seu definhamento são absolutamente coincidentes e que a expressão de Marx aplica-se justamente a um Estado *em vias de definhamento*.

Não se trata, evidentemente, de marcar um prazo para esse "definhamento" *futuro*, ainda mais porque ele constitui um processo de longa duração. A divergência aparente entre Marx e Engels explica-se pela diferença dos assuntos tratados e dos objetivos perseguidos. Engels propõe-se demonstrar a Bebel, de modo palpável e incisivo, a largos traços, todo o absurdo dos preconceitos correntes (partilhados em elevado grau por Lassalle) a respeito do Estado. Marx toca apenas de passagem *nessa* questão, interessando-se por outro assunto: o *desenvolvimento* da sociedade comunista.

Toda a teoria de Marx é a aplicação da teoria do desenvolvimento – em sua forma mais lógica, mais completa, mais refletida e mais substancial – ao capitalismo contemporâneo. Naturalmente, apresentou-se para Marx o problema da aplicação dessa teoria à falência *iminente* do capitalismo e ao desenvolvimento *futuro* do comunismo *futuro*.

Em que *dados* podemos nos basear para apresentar a questão do desenvolvimento futuro do comunismo futuro?

No fato de que ele é *resultado* do capitalismo, um desenvolvimento histórico a partir do capitalismo, obra da força social *engendrada* pelo capitalismo. Em Marx, não há sequer o vestígio de um intento que leve à utopia, a procura inútil por adivinhar aquilo que não se pode saber. Marx apresenta a questão do comunismo como um naturalista faria, por exemplo, com a evolução de uma nova espécie biológica, uma vez conhecidas sua origem e sua linha de desenvolvimento posterior.

Marx começa por desfazer a confusão gerada pelo Programa de Gotha na questão das relações entre o Estado e a sociedade.

A "sociedade atual" é a sociedade capitalista, que, em todos os países civilizados, existe mais ou menos livre dos elementos medievais, mais ou menos modificada pelo desenvolvimento histórico particular de cada país, mais ou menos desenvolvida. O "Estado atual", ao contrário, muda juntamente com os limites territoriais do país. No Império Prussiano-Alemão, o Estado é diferente daquele da Suíça; na Inglaterra, ele é diferente daquele dos Estados Unidos. "O Estado atual" é uma ficção. No entanto, os diferentes Estados dos diferentes países civilizados, apesar de suas variadas configurações, têm em comum o fato de estarem assentados sobre o solo da moderna sociedade burguesa, mais ou menos desenvolvida em termos capitalistas. É o que confere a eles certas características comuns essenciais. Nesse sentido, pode-se falar em "atual ordenamento estatal" em contraste com o futuro, quando sua raiz atual, a sociedade burguesa, tiver desaparecido.

Pergunta-se, então, que transformações sofrerá o ordenamento estatal numa sociedade comunista? Em outras palavras, quais funções sociais, análogas às atuais funções estatais, nela permanecerão?

Essa pergunta só pode ser respondida de modo científico, e não é associando de mil maneiras diferentes a palavra povo à palavra Estado que se avançará um pulo de pulga na solução do problema.[3]

Ridicularizando, assim, todo esse bate-boca sobre o "Estado popular", Marx especifica a questão e, de algum modo, previne que só é possível resolvê-la de forma científica se existirem dados solidamente estabelecidos[4].

O primeiro ponto solidamente estabelecido pela teoria do desenvolvimento e, de maneira mais geral, pela ciência – ponto esquecido pelos utopistas e, em nossos dias, pelos oportunistas amedrontados pela revolução socialista – é que entre o capitalismo e o comunismo deverá intercalar-se, necessariamente, um período histórico ou etapa particular de *transição*.

2. A TRANSIÇÃO DO CAPITALISMO PARA O COMUNISMO

"Entre a sociedade capitalista e a comunista", continua ele, "situa-se o período da transformação revolucionária de uma na outra. A ele corresponde

---

3 Karl Marx, "Glosas marginais ao programa do Partido Operário Alemão", em ibidem, p. 42-3.
4 Ibidem, p. 43.

também um período político de transição, cujo Estado não pode ser senão a *ditadura revolucionária do proletariado*"[5].

Essa conclusão de Marx repousa sobre a análise do papel desempenhado pelo proletariado na sociedade capitalista atual, sobre o desenvolvimento dessa sociedade e a incompatibilidade dos interesses opostos do proletariado e da burguesia.

Antigamente, a questão era posta assim: para conseguir emancipar-se, o proletariado deve derrubar a burguesia, apoderar-se do poder político, estabelecer sua ditadura revolucionária.

Agora, a questão se apresenta de modo um pouco diferente: a passagem da sociedade capitalista, que se desenvolve em direção ao comunismo, para a sociedade comunista é impossível sem um "período de transição política" em que o Estado não pode ser outra coisa senão a ditadura revolucionária do proletariado.

Quais são as relações dessa ditadura com a democracia?

Já vimos que o *Manifesto Comunista* simplesmente aproxima as duas noções uma da outra: "elevação do proletariado a classe dominante" e "conquista da democracia"[6]. Inspirando-nos em tudo o que foi exposto, podemos determinar de forma mais precisa as transformações que a democracia sofrerá durante a transição do capitalismo para o comunismo.

A sociedade capitalista, considerada em suas mais favoráveis condições de desenvolvimento, oferece-nos uma democracia mais ou menos completa na república democrática. Mas essa democracia é sempre comprimida no quadro estreito da exploração capitalista e, por isso, sempre permanecerá, no fundo, a democracia de uma minoria, apenas para as classes possuidoras, apenas para os ricos. A liberdade na sociedade capitalista continua sempre a ser, mais ou menos, o que foi nas repúblicas da Grécia antiga: uma liberdade de senhores de escravos. Os escravos assalariados de hoje, em consequência da exploração capitalista, vivem de tal maneira acabrunhados pelas

---

5 Idem.

6 Friedrich Engels e Karl Marx, *Manifesto Comunista* (trad. Álvaro Pina, São Paulo, Boitempo, 2010), p. 57.

necessidades e pela miséria que nem tempo têm para se ocupar de "democracia" ou de "política"; no curso normal e pacífico das coisas, a maioria da população encontra-se afastada da vida político-social.

A correção dessa afirmação pode ser confirmada com rara evidência pela Alemanha, justamente porque nesse Estado a legalidade constitucional manteve-se com uma constância e uma duração surpreendentes durante quase meio século (1871-1914), e a social-democracia, durante esse período, soube, muito mais que nos outros países, "tirar proveito dessa legalidade" para organizar um grande número de trabalhadores em um partido político de modo muito mais considerável que em qualquer outra parte do mundo.

E qual é, nesse país, a proporção de escravos assalariados politicamente conscientes e ativos, proporção que é a mais elevada na sociedade capitalista? De 15 milhões de operários assalariados, 1 milhão faz parte do Partido Social-Democrata! De 15 milhões, 3 milhões são sindicalizados!

A democracia para uma ínfima minoria, a democracia para os ricos – tal é a democracia da sociedade capitalista. Se observarmos mais de perto o mecanismo da democracia capitalista, só veremos, sempre e por toda parte, restrições ao princípio democrático nos "menores", alegadamente, detalhes da legislação eleitoral (censo domiciliário, exclusão das mulheres etc.), assim como no funcionamento das instituições representativas, nos obstáculos de fato ao direito de reunião (os edifícios públicos não são para os "maltrapilhos"), na estrutura puramente capitalista da imprensa diária, e assim por diante e adiante. Essas limitações, essas exceções, essas exclusões e esses obstáculos para os pobres parecem insignificantes, principalmente para aqueles que nunca conheceram a necessidade e nunca conviveram com as classes oprimidas nem conheceram de perto sua vida (e, nesse caso, estão os nove décimos, senão os 99 centésimos dos publicistas e dos políticos burgueses); totalizadas, essas restrições eliminam os pobres da política e da participação ativa na democracia.

Marx captou de modo esplêndido esse *traço essencial* da democracia capitalista, ao dizer em sua análise da experiência da Comuna: os oprimidos, de tantos em tantos anos, são autorizados a decidir qual, entre os membros da classe dominante, será o que, no Parlamento, os representará e esmagará[7]!

Mas a passagem dessa democracia capitalista – inevitavelmente mesquinha, que exclui de forma sorrateira os pobres e, por consequência, é hipócrita e mentirosa – "para uma democracia cada vez mais perfeita" não se opera tão simples nem tão comodamente como imaginam os professores liberais e os oportunistas pequeno-burgueses. Não. O progresso, isto é, a passagem para o comunismo, opera-se por meio da ditadura do proletariado, e não poderia ser diferente, pois não há outro agente nem outro meio para *quebrar a resistência* dos capitalistas exploradores.

Mas a ditadura do proletariado, isto é, a organização de vanguarda dos oprimidos em classe dominante para o esmagamento dos opressores, não pode limitar-se, pura e simplesmente, a um alargamento da democracia. *Ao mesmo tempo* que produz uma considerável ampliação da democracia, que se torna *pela primeira vez* a democracia dos pobres, a do povo, e não mais apenas a da gente rica, a ditadura do proletariado acarreta uma série de restrições à liberdade dos opressores, dos exploradores, dos capitalistas. Devemos reprimir sua atividade para libertar a humanidade da escravidão assalariada, devemos quebrar sua resistência pela força; ora, é claro que onde há esmagamento, onde há violência, não há liberdade, não há democracia.

Engels disse isso perfeitamente, em sua carta a Bebel, ao escrever, como o leitor se recorda: "Enquanto o proletariado ainda faz uso do Estado, ele o usa não no interesse da liberdade, mas para submeter seus adversários e, a partir do momento em que se pode falar em liberdade, o Estado deixa de existir como tal"[8].

A democracia para a imensa maioria do povo e a repressão, pela força, da atividade dos exploradores, dos opressores do povo, ou seja, sua exclusão da democracia – eis a transformação que sofre a democracia no período de *transição* do capitalismo ao comunismo.

7   Karl Marx, *A guerra civil na França* (trad. Rubens Enderle, São Paulo, Boitempo, 2011).

8   "Friedrich Engels a August Bebel", cit., p. 56.

Só na sociedade comunista, quando a resistência dos capitalistas estiver perfeitamente quebrada, quando os capitalistas tiverem desaparecido e já não houver classes (isto é, quando não houver mais distinções entre os membros da sociedade em relação à produção), *só* então é que "o Estado deixará de existir e *será possível falar de liberdade*". Só então se tornará possível e será realizada uma democracia verdadeiramente completa e cuja regra não sofrerá exceção nenhuma. E só então a democracia começará a *definhar* – pela simples circunstância de que, desembaraçados da escravidão capitalista, dos horrores, da selvageria, da insânia, da ignomínia sem nome da exploração capitalista, os indivíduos vão *se habituar*, pouco a pouco, a observar as regras elementares da vida social, por todos conhecidas e repetidas, há milênios, em todos os mandamentos, a observá-las sem violência, sem constrangimento, sem subordinação, *sem esse aparelho especial* de coação que se chama Estado.

A expressão "o Estado *definha*" é muito feliz porque exprime ao mesmo tempo a gradualidade do processo e sua espontaneidade. Só o hábito pode produzir esse fenômeno, e sem dúvida há de produzi-lo, pois vemos um milhão de vezes em torno de nós com que facilidade os homens se habituam a observar as regras indispensáveis da vida social, contanto que nelas não haja exploração, e que, não existindo nada que provoque a indignação, o protesto, a revolta, nada necessitará de *repressão*.

Assim, na sociedade capitalista, nós temos uma democracia mutilada, miserável, falsificada, uma democracia só para os ricos, para a minoria. A ditadura do proletariado, período de transição para o comunismo, instituirá pela primeira vez uma democracia para o povo, para a maioria, esmagando, ao mesmo tempo, por necessidade, a atividade da minoria, dos exploradores. Só o comunismo está em condições de realizar uma democracia realmente perfeita, e, quanto mais perfeita for, mais depressa se tornará supérflua e por si mesma se eliminará.

Em outras palavras, no regime capitalista, temos o Estado no sentido próprio da palavra, uma máquina especialmente destinada ao esmagamento de uma classe por outra, da maioria pela minoria. Compreende-se que, para a realização de tarefa semelhante, como a repressão sistemática da atividade de uma maioria de explorados por uma minoria de exploradores, seja necessária uma crueldade, uma ferocidade extrema, sejam necessárias ondas de sangue por meio das quais a humanidade se debate na escravidão, na servidão e no assalariamento.

Mais adiante, no período de *transição* do capitalismo para o comunismo, a repressão é *ainda* necessária, mas uma maioria de explorados a exerce contra uma minoria de exploradores. O aparelho especial de repressão, o "Estado", é *ainda* necessário, mas é um Estado transitório, já não o Estado propriamente dito, visto que o esmagamento de uma minoria de exploradores pela maioria dos escravos assalariados *de ontem* é uma coisa relativamente tão fácil, tão simples e tão natural que custará à humanidade muito menos sangue que a repressão das revoltas de escravos, de servos e de operários assalariados. E isso será compatível com uma democracia que abarque uma maioria tão grande da população que comece a desaparecer a necessidade de um *aparelho especial* de coação. Os exploradores, naturalmente, não estariam em condições de oprimir *o povo* se não tivessem máquina para tanto, mas o povo pode coagir os exploradores com uma "máquina" simples, quase sem uma "máquina", sem um aparelho especial, pela simples *organização armada das massas* (de que os sovietes de deputados operários e soldados nos fornecem um exemplo, diremos nós, por antecipação).

Por fim, só o comunismo torna o Estado inteiramente supérfluo, porque não há mais *ninguém* a coagir – "ninguém" no sentido de *classe*, no sentido de que não há mais luta sistemática a levar contra certa parte da população. Não somos utopistas e não negamos, de forma nenhuma, a possibilidade e a fatalidade de certos *excessos individuais*, como não negamos a necessidade de reprimir *tais* excessos. Mas, em primeiro lugar, não há para isso necessidade de uma máquina especial, de um aparelho especial de repressão; isso será feito pelo próprio povo armado tão simplesmente e tão facilmente como uma multidão civilizada, na sociedade atual, aparta uma briga ou se opõe a um estupro. Em segundo lugar, sabemos que a principal causa dos excessos que constituem as infrações às regras da vida social é a exploração das massas, condenadas à miséria, às privações. Uma vez suprimida essa causa principal, os próprios excessos começarão, infalivelmente, a *"definhar"*. Não sabemos com que presteza nem com que gradação, mas sabemos que eles irão definhar. E, com eles, *definhará* também o Estado.

Marx, sem cair na utopia, indicou mais detalhadamente aquilo que *agora* é possível saber do futuro, mais precisamente: a diferença entre as fases (os níveis, as etapas) inferior e superior da sociedade comunista.

3. A PRIMEIRA FASE DA SOCIEDADE COMUNISTA

Na *Crítica do Programa de Gotha*, Marx refuta detalhadamente a ideia de Lassalle segundo a qual o operário, sob o regime socialista, receberá o produto "total", o "fruto integral de seu trabalho". Marx demonstra que da totalidade do produto social é preciso deduzir o fundo de reserva, o fundo de ampliação de produção, a amortização da ferramenta "usada" etc.; em seguida, sobre os bens de consumo, um fundo para as despesas de administração, para as escolas, os hospitais, os asilos de velhos etc.

Em vez da fórmula imprecisa, obscura e geral de Lassalle ("o fruto integral do trabalho aos trabalhadores"), Marx estabelece o orçamento exato da gestão de uma sociedade socialista. Marx faz a análise *concreta* das condições de vida em uma sociedade liberta do capitalismo e se expressa assim:

> Nosso objeto aqui [ao analisar o programa do partido operário] é uma sociedade comunista não como ela se *desenvolveu* a partir de suas próprias bases, mas, ao contrário, como ela acaba de *sair* da sociedade capitalista, portanto trazendo de nascença as marcas econômicas, morais e espirituais herdadas da velha sociedade de cujo ventre ela saiu.[9]

É essa sociedade comunista que acaba de sair do ventre do capitalismo, que carrega todas as marcas da velha sociedade, que Marx denomina de "primeira" fase ou fase inferior da sociedade comunista.

Os meios de produção deixam de ser, nesse momento, propriedade privada de indivíduos. Os meios de produção pertencem à sociedade inteira. Cada membro da sociedade, executando certa parte do trabalho socialmente

---

9 Karl Marx, "Glosas marginais ao programa do Partido Operário Alemão", cit., p. 29.

necessário, recebe um certificado constatando que efetuou determinada quantidade de trabalho. Com esse certificado, ele recebe, nos armazéns públicos, uma quantidade correspondente de produtos. Feito o desconto da quantidade de trabalho destinada ao fundo social, cada operário recebe da sociedade tanto quanto lhe deu.

Reina uma "igualdade" aparente.

Mas quando, tendo em vista tal ordem social (habitualmente chamada de socialismo e que Marx chama de primeira fase do comunismo), Lassalle diz que há nela "justa repartição", aplicação do "direito igual de cada um ao produto igual do trabalho", ele se engana, e Marx esclarece qual é o engano dele.

O "igual direito", diz Marx, de fato se encontra aqui, mas esse é *ainda* o "direito burguês", o qual, como todo direito, *pressupõe uma desigualdade*. Todo direito consiste na aplicação de uma medida *única* a *diferentes* pessoas, as quais, de fato, não são nem idênticas nem iguais; por isso, o "igual direito" equivale a uma violação da igualdade e da justiça. Na verdade, cada um recebe, por uma parte igual de trabalho social, uma parte igual da produção social (feita a dedução indicada).

Ora, os indivíduos não são iguais: um é mais forte, outro, mais fraco; um é casado, outro, não; um tem mais filhos, outro, menos etc. Conclui Marx:

> Pelo mesmo trabalho e, assim, com a mesma participação no fundo social de consumo, um recebe, de fato, mais do que o outro, um é mais rico do que o outro etc. A fim de evitar todas essas distorções, o direito teria de ser não igual, mas antes desigual.[10]

A primeira fase do comunismo ainda não pode, pois, realizar a justiça e a igualdade: hão de subsistir diferenças de riqueza e diferenças injustas, mas o que não poderia subsistir é a *exploração* do homem pelo homem, pois ninguém poderá continuar dispondo, a título de propriedade privada, *dos meios de produção*, das fábricas, das máquinas, da terra. Destruindo a fórmula confusa e pequeno-burguesa de Lassalle sobre a "desigualdade" e a "justiça" *em*

10 Ibidem, p. 31.

geral, Marx indica *as fases pelas quais deve passar* a sociedade comunista, *obrigada*, no início, a destruir *apenas* a "injusta" apropriação privada dos meios de produção, mas *sem condições* de destruir, ao mesmo tempo, a injusta repartição dos bens de consumo "conforme o trabalho" (e não conforme as necessidades).

Os economistas vulgares, entre eles os professores burgueses, inclusive "nosso" Túgan, acusam continuamente os socialistas de não levar em conta a desigualdade dos homens e "sonhar" com a supressão dessa desigualdade. Essas censuras, como vemos, não fazem senão denunciar a extrema ignorância dos senhores ideólogos burgueses.

Marx não só leva em conta, muito precisamente, essa desigualdade inevitável, como também considera o fato de que a socialização dos meios de produção (o "socialismo", no sentido tradicional da palavra) *não suprime*, por si só, os vícios de distribuição e de desigualdade do "direito burguês", que *continua a predominar* enquanto os produtos forem repartidos "conforme o trabalho".

> Mas essas distorções são inevitáveis na primeira fase da sociedade comunista, tal como ela surge, depois de um longo trabalho de parto, da sociedade capitalista. O direito nunca pode ultrapassar a forma econômica e o desenvolvimento cultural, por ela condicionado, da sociedade.[11]

Assim, na primeira fase da sociedade comunista (que se costuma chamar de socialismo), o "direito burguês" *não é* abolido completamente, mas apenas em parte, na medida em que a revolução econômica foi realizada, isto é, apenas no que diz respeito aos meios de produção. O "direito burguês" atribui aos indivíduos a propriedade privada daqueles. O socialismo faz deles propriedade *comum*. É *nisso* – e somente nisso – que o "direito burguês" é abolido.

Mas ele subsiste em sua outra função, subsiste como regulador (fator determinante) da distribuição dos produtos e do trabalho entre os membros da sociedade. "Quem não trabalha não deve comer", esse princípio socialista

---

11 Idem.

já está realizado; "para soma igual de trabalho, soma igual de produtos", esse outro princípio socialista já está realizado. Contudo, isso ainda não é o comunismo e ainda não elimina o "direito burguês", que, a pessoas desiguais e por uma soma desigual (realmente desigual) de trabalho, atribui uma soma igual de produtos.

É uma "limitação", diz Marx, mas é uma limitação inevitável na primeira fase do comunismo, pois, a não ser que se caia na utopia, não se pode pensar que, logo que o capitalismo for derrubado, as pessoas saberão, *sem um tipo de Estado de direito*, trabalhar para a sociedade; além do mais, a abolição do capitalismo não dá, *de uma só vez*, as premissas econômicas de uma mudança *semelhante*.

Ora, não há outras normas senão as do "direito burguês". É por isso que subsiste a necessidade de um Estado que, embora conservando a propriedade comum dos meios de produção, mantenha a igualdade do trabalho e a igualdade da repartição do produto.

O Estado definha na medida em que não há mais capitalistas, em que não há mais classes e, por isso, não há mais necessidade de *esmagar* nenhuma *classe*.

Mas o Estado ainda não definha de todo, pois resta a proteção do "direito burguês" que consagra a desigualdade de fato. Para que o Estado definhe completamente, é necessário o advento do comunismo completo.

4. A FASE SUPERIOR DA SOCIEDADE COMUNISTA

Marx continua:

> Numa fase superior da sociedade comunista, quando tiver sido eliminada a subordinação escravizadora dos indivíduos à divisão do trabalho e, com ela, a oposição entre trabalho intelectual e manual; quando o trabalho tiver deixado de ser mero meio de vida e tiver se tornado a primeira necessidade vital; quando, juntamente com o desenvolvimento multifacetado dos indivíduos, suas forças produtivas também tiverem crescido e todas as fontes da riqueza coletiva jorrarem em abundância, apenas então o estreito horizonte jurídico burguês poderá ser plenamente superado e a sociedade poderá escrever em

sua bandeira: "De cada um segundo suas capacidades, a cada um segundo suas necessidades!".[12]

Só agora podemos apreciar toda a justeza das observações de Engels quando cobre de impiedosos sarcasmos o absurdo emparelhamento das palavras "liberdade" e "Estado". Enquanto existir Estado, não haverá liberdade. Quando houver liberdade, não haverá mais Estado.

A condição econômica da extinção completa do Estado é o comunismo elevado a tal grau de desenvolvimento que toda oposição entre o trabalho intelectual e o trabalho físico desaparecerá, desaparecendo, portanto, uma das principais fontes de desigualdade *social* contemporânea, fonte que a simples socialização dos meios de produção, a simples expropriação dos capitalistas, é por completo impotente de fazer secar de uma só vez.

Essa expropriação tornará *possível* um grande desenvolvimento das forças produtivas. Vendo, desde já, o quanto o capitalismo *retarda* esse desenvolvimento e quanto progresso seria possível realizar graças à técnica contemporânea já alcançada, estamos no direito de afirmar, com certeza absoluta, que a expropriação dos capitalistas dará infalivelmente um prodigioso impulso às forças produtivas da sociedade humana. Mas qual será o ritmo desse movimento, em que momento ele romperá com a divisão do trabalho, abolirá a oposição entre o trabalho intelectual e o trabalho físico e fará do primeiro "a primeira necessidade da existência" não sabemos *nem podemos* saber.

Por isso, não temos o direito de falar senão do definhamento inevitável do Estado, acentuando que a duração desse processo depende do ritmo em que se desenrolar a *fase superior* do comunismo e mantendo inteiramente aberta a questão do momento e das formas concretas do definhamento, pois *não temos* material que nos permita resolvê-la.

O Estado poderá desaparecer completamente quando a sociedade tiver realizado o princípio "de cada um segundo suas capacidades, a cada um segundo suas necessidades", isto é, quando se estiver tão habituado a observar

---

12 Ibidem, p. 31-2.

as regras primordiais da vida social e o trabalho tiver se tornado tão produtivo que todo mundo trabalhará voluntariamente *segundo suas capacidades*. "O estreito horizonte jurídico burguês", que me obriga a calcular, com a crueldade de um Shylock[13], se eu não teria trabalhado meia hora a mais que o outro, se eu não teria recebido um salário menor que o do outro, é um horizonte estreito que será, então, ultrapassado. A distribuição dos produtos não mais exigirá que a sociedade destine a cada um a parte de produtos que lhe cabe; cada um será livre para ter "segundo suas necessidades".

Do ponto de vista burguês, é fácil chamar de "pura utopia" tal organização social e escarnecer malignamente os socialistas que prometem a cada um, sem nenhum controle de seu trabalho, tanto quanto quiser de trufas, de automóveis, de pianos etc. É com zombarias malignas dessa espécie que ainda hoje a maioria dos "sábios" burgueses sai de apuros, os quais não fazem com isso senão mostrar sua ignorância e sua devoção interesseira pelo capitalismo.

Sua ignorância, sim, pois nem um só socialista se lembrou de "profetizar" o advento da fase superior do comunismo, e a *previsão* dos grandes socialistas de que ela virá pressupõe uma produtividade do trabalho muito diferente *da de hoje*, assim como um homem muito diferente *do de hoje*, o qual é "capaz" de – como os seminaristas de Pomialóvski[14] – desperdiçar, a torto e a direito, as riquezas públicas e de exigir o impossível.

Até a chegada a essa fase "superior" do comunismo, os socialistas exigem *a mais rigorosa* fiscalização do trabalho e do consumo pela sociedade e *pelo Estado*; mas essa fiscalização deve *começar* pela expropriação dos capitalistas e ser exercida pelo Estado dos *operários armados*, não pelo Estado dos funcionários.

A defesa interesseira do capitalismo pelos ideólogos burgueses (e sua camarilha, como os srs. Tsetéli, Tchernov e cia.) consiste precisamente em *escamotear*, com discussões e frases sobre um futuro longínquo, a questão

13 Personagem da comédia de Shakespeare *O mercador de Veneza*. Usureiro cruel, exigiu que se cortasse, de acordo com as condições do contrato, uma libra de carne de seu devedor em mora. (N. E. R.)

14 Lênin refere-se aos alunos dos seminários, cuja vida é caracterizada pelo escritor russo Nikolai Guerássimovitch Pomialóvski como marcada pela ignorância e pelos costumes bárbaros. (N. E. R. A.)

essencial da política *de hoje*: a expropriação dos capitalistas, a transformação *de todos* os cidadãos em trabalhadores, empregados de *um mesmo* grande "consórcio econômico" – mais precisamente, o Estado –, e a inteira subordinação de todo o trabalho desse consórcio a um Estado verdadeiramente democrático, *o Estado dos sovietes dos deputados operários e soldados.*

No fundo, quando um sábio professor e, atrás dele, o filisteu e, com eles, Tchernov e Tseretéli falam sobre as insensatas utopias e as promessas demagógicas dos bolcheviques e declaram impossível a "introdução" do socialismo, o que eles têm em vista é exatamente essa fase superior do comunismo, que ninguém nunca prometeu, como nunca mesmo sonhou em "introduzir", por ser isso impossível.

Abordamos aqui a questão da distinção científica entre o socialismo e o comunismo, questão tocada por Engels na passagem precedentemente citada sobre a impropriedade da denominação "social-democrata". Politicamente, a diferença entre a primeira fase, ou fase inferior, e a fase superior do comunismo se tornará, com o tempo, sem dúvida, enorme, mas hoje, em um regime capitalista, seria ridículo levá-la em conta, e só alguns anarquistas podem colocá-la em primeiro plano (se é que ainda existem, entre os anarquistas, aqueles a quem nada ensinou a metamorfose "à maneira de Plekhánov" dos Kropótkin, dos Grave, dos Cornelissen e outros "ases" do anarquismo em sociais-chauvinistas ou em anarcotrincheiristas, conforme a expressão de Gué, um dos raros anarquistas que conservaram a honra e a consciência).

Mas a diferença científica entre o socialismo e o comunismo é clara. Ao que se costuma chamar de socialismo, Marx chamou de a "primeira" fase ou fase inferior da sociedade comunista. Na medida em que os meios de produção se tornam propriedade *comum*, pode-se aplicar a palavra "comunismo", contanto que não se esqueça de que esse *não* é um comunismo completo. O grande mérito da exposição de Marx é também continuar fiel à dialética materialista e à teoria do desenvolvimento, considerando o comunismo algo que se desenvolve *a partir do* capitalismo. Em vez de se apegar a definições escolásticas, "artificiais", e a disputas estéreis sobre as palavras (o que é o socialismo, o que é o comunismo), Marx analisa o que se poderia chamar de graus da maturidade econômica do comunismo.

Em sua primeira fase, em seu primeiro estágio, o comunismo não pode estar ainda em plena maturação econômica, completamente libertado das tradições ou dos vestígios do capitalismo. Daí, esse fato interessante de se continuar prisioneiro do "estreito horizonte jurídico *burguês*" – sob o comunismo em sua primeira fase. O direito burguês, no que concerne à repartição dos bens de *consumo*, pressupõe, evidentemente, um *Estado burguês*, pois o direito não é nada sem um aparelho capaz de *impor* a observação de suas normas.

Acontece que não só o direito burguês subsiste no comunismo durante certo tempo, mas também o Estado burguês – sem a burguesia!

Isso pode parecer um paradoxo ou um simples quebra-cabeça dialético, e essa censura é frequentemente feita ao marxismo por pessoas que nunca se deram ao trabalho de estudar, por pouco que fosse, sua substância extraordinariamente profunda.

Na verdade, a vida nos mostra a cada passo, na natureza e na sociedade, que os vestígios do passado subsistem no presente. Não foi arbitrariamente que Marx introduziu um pouco de direito "burguês" no comunismo, ele não fez mais que constatar o que, econômica e politicamente, é inevitável em uma sociedade saída *do ventre* do capitalismo.

A democracia tem uma enorme importância na luta da classe operária contra os capitalistas por sua emancipação. Mas a democracia não é um limite que não pode ser ultrapassado, e sim uma etapa no caminho que vai do feudalismo ao capitalismo e do capitalismo ao comunismo.

Democracia implica igualdade. Compreende-se a importância da luta do proletariado pela igualdade e pelo próprio princípio de igualdade, contanto que sejam compreendidos como convém, no sentido da supressão *das classes*. Mas democracia quer dizer apenas igualdade *formal*. E, logo após a realização da igualdade de todos os membros da sociedade *quanto ao gozo* dos meios de produção, isto é, a igualdade do trabalho e do salário, se erguerá, fatalmente, perante a humanidade, o problema do progresso seguinte, o problema da passagem da igualdade formal à igualdade real, baseada no seguinte princípio: "De cada um segundo suas capacidades, a cada um segundo suas necessidades!". Por meio de que etapas, de que medidas práticas a humanidade atingirá esse objetivo ideal não sabemos nem podemos saber. O que importa é ver a imensa mentira contida na ideia burguesa de que o socialismo é algo morto, rígido, estabelecido de uma vez por todas, quando, na realidade, *só* o socialismo colocará em marcha, em ritmo acelerado, *a maioria* da população, primeiro, e, depois, a população inteira, em todos os domínios da vida social e da vida privada.

A democracia é uma das formas, uma das variantes do Estado. Por consequência, como todo Estado, ela é o exercício organizado, sistemático, da coação sobre as pessoas. Isso, por um lado. Por outro lado, é ela o reconhecimento formal da igualdade entre os cidadãos, do direito igual de todos de determinar a forma do Estado e administrá-lo. Segue-se que, a certa altura de seu desenvolvimento, a democracia levanta, logo de início, contra o capitalismo, a classe revolucionária do proletariado e lhe fornece os meios de quebrar, de reduzir a migalhas, de aniquilar a máquina burguesa do Estado, mesmo a da burguesia republicana, o exército permanente, a polícia, o funcionalismo, e de substituir tudo isso por uma máquina *mais* democrática, mas que nem por isso é menos máquina de Estado, constituída pelas massas operárias armadas, preparando a organização de todo o povo em milícias.

Aqui, "a quantidade se transforma em qualidade": chegada a *esse* grau, a democracia sai dos quadros da sociedade burguesa e começa a progredir para o socialismo. Se *todos os* homens tomam realmente parte na gestão do Estado, o capitalismo não pode mais se manter. E o desenvolvimento do capitalismo, por sua vez, cria as *premissas* para que "todos" *possam*, de fato, tomar parte na gestão do Estado. Essas premissas são, entre outras, a instrução universal, já realizada na maior parte dos países capitalistas avançados, e, depois, "a educação e a disciplina" de milhões de operários pelo imenso aparelho, complicado e já socializado, do correio, das estradas de ferro, das grandes fábricas, do grande comércio, dos bancos etc. etc.

Com tais premissas *econômicas*, é perfeitamente possível derrubar, de um dia para o outro, os capitalistas e os funcionários e substituí-los, no *controle* da produção e da repartição, na *contabilidade* do trabalho e dos produtos, pelos operários armados, pelo povo inteiro em armas. (É preciso não confundir a questão do controle e da contabilidade com a questão do pessoal técnico, engenheiros, agrônomos etc.; esses senhores trabalham, hoje, sob as ordens dos capitalistas e trabalharão melhor ainda sob as ordens dos operários armados.)

Contabilidade e controle – eis as *principais* condições necessárias para o funcionamento "regular" da *primeira fase* da sociedade comunista. *Todos* os cidadãos se transformam em empregados assalariados do Estado, personificado, por sua vez, pelos operários armados. *Todos* os cidadãos se tornam empregados e operários de *um só* "sindicato de produção" nacional do Estado. Trata-se apenas de conseguir que *eles* trabalhem uniformemente, que observem a mesma medida de trabalho e recebam um salário uniforme. Essas operações de contabilidade e de controle foram antecipadamente *simplificadas* ao extremo pelo capitalismo, que as reduziu a formalidades de fiscalização e de inscrição, a operações de aritmética e à entrega de recibos, que são, todas, coisas acessíveis a quem souber ler e escrever*.

Quando *a maioria* do povo efetuar, por si mesma e em toda a parte, essa contabilidade, esse controle dos capitalistas (transformados, então, em empregados) e dos senhores intelectuais que conservarem ainda ares de capitalistas, então esse controle se tornará verdadeiramente universal, geral, popular, e ninguém saberá mais "onde se meter" para escapar dele.

A sociedade inteira não será mais que um grande escritório e uma grande fábrica, com igualdade de trabalho e igualdade de salário.

Mas essa disciplina "fabril", que, uma vez vencidos os capitalistas e derrubados os exploradores, o proletariado tornará extensiva a toda a sociedade, não é absolutamente nosso ideal nem nosso objetivo final, mas apenas *um passo* necessário para a radical limpeza da sociedade das vilanias e das

---

* Quando o Estado reduz suas funções essenciais à contabilidade e ao controle por parte dos próprios trabalhadores, deixa de ser o "Estado político", e as "funções públicas", até então políticas, passam a ser simplesmente administrativas. (Ver, no Capítulo 4, "Explicações complementares de Engels", § 2º, a polêmica de Engels com os anarquistas.) (N. A.)

Segundo a edição soviética de 1969, esta nota não aparece no manuscrito de *O Estado e a revolução* que estava disponível no arquivo central do Instituto do Marxismo-Leninismo do Comitê Central do Partido Comunista da União Soviética. Na p. 68 do manuscrito aparecia a seguinte observação: "Ver nota inserida na página 68ª". Aparentemente, a página contendo a nota a que se refere Lênin foi perdida. (N. E.)

sujeiras da exploração capitalista e *para a continuidade* de sua marcha para a frente.

A partir do momento em que os próprios membros da sociedade – ou, pelo menos, a imensa maioria – tiverem aprendido a gerir *por si mesmos* o Estado, tiverem tomado a direção das coisas e "organizado" seu controle, tanto sobre a ínfima minoria de capitalistas como sobre os pequenos senhores desejosos de conservar seus ares de capitalistas e sobre os trabalhadores profundamente corrompidos pelo capitalismo – a partir desse momento tenderá a desaparecer a necessidade de qualquer administração. Quanto mais plena for a democracia, tanto mais próximo estará o dia em que se tornará supérflua. Quanto mais democrático for o "Estado", constituído por operários armados e deixando de ser "o Estado no sentido próprio da palavra", tanto mais rápida será também a extinção de *qualquer* Estado.

Quando *todos* de fato tiverem aprendido a administrar e de fato administrarem diretamente a produção social, quando todos de fato procederem à contabilidade e ao controle dos parasitas, dos filhos-família, dos velhacos e outros "guardiões das tradições capitalistas", então será tão incrivelmente difícil, para não dizer impossível, escapar a essa contabilidade e a esse controle nacionais que uma rara exceção será, provavelmente, acompanhada de um castigo tão pronto e tão exemplar (pois os operários armados são gente prática, não intelectuais sentimentais, e não gostam que brinquem com eles) que a *necessidade* de observar as regras simples e fundamentais de todo convívio humano se tornará, muito depressa, *hábito*.

Então a porta se abrirá, de par em par, para a passagem da primeira fase à fase superior da sociedade comunista e, ao mesmo tempo, ao definhamento completo do Estado.

CAPÍTULO 6
A VULGARIZAÇÃO DO MARXISMO PELOS OPORTUNISTAS

A questão da relação do Estado para com a revolução social e da revolução social para com o Estado ocupou muito pouco os teóricos e os publicistas mais destacados da Segunda Internacional (1889-1914), como também a questão da revolução em geral. Mas o mais característico no processo de crescimento gradual do oportunismo, que conduziu à bancarrota da Segunda Internacional em 1914, é que, mesmo quando abordaram a questão de perto, *esforçaram-se por esquecê-la* ou não a notaram.

De maneira geral, pode-se dizer que as *evasivas* em relação à questão da atitude da revolução proletária para com o Estado, evasivas vantajosas para o oportunismo e que o alimentavam, resultaram na *deturpação* do marxismo e em sua completa vulgarização.

A fim de caracterizar, ainda que de modo breve, esse lamentável processo, tomemos os teóricos mais destacados do marxismo, Plekhánov e Kautsky.

1. A POLÊMICA DE PLEKHÁNOV COM OS ANARQUISTAS

Plekhánov consagrou à questão da atitude do anarquismo para com o socialismo uma brochura especial: *Anarquismo e socialismo*, que saiu em alemão em 1894[1].

---

1 Tradução literal de *Anarchismus und sozialismus* (Berlim, T. Glocke, 1894). (N. E.)

Plekhánov arranjou um modo de tratar esse tema desviando completamente do que é mais atual, mais candente e politicamente mais essencial na luta contra o anarquismo, a saber: a atitude da revolução para com o Estado e a questão do Estado em geral! Em sua brochura, destacam-se duas partes: uma histórico-literária, com material valioso sobre a história das ideias de Stirner, de Proudhon, entre outros. Outra, filistina, com raciocínios de mau gosto sobre o tema de que um anarquista não é diferente de um bandido.

A combinação dos temas é extremamente divertida e característica de toda a atividade de Plekhánov às vésperas da revolução e durante o período revolucionário na Rússia: de fato, Plekhánov revelou-se de 1905 a 1917 um semidoutrinário, semifilisteu, que em política seguia na cola da burguesia.

Vimos como Marx e Engels, ao polemizar com os anarquistas, esclareceram com o devido cuidado suas concepções sobre a relação da revolução com o Estado. Engels, ao editar, em 1891, *Crítica do Programa de Gotha* de Marx, escreveu que "apenas dois anos após o Congresso de Haia da (Primeira) Internacional[2] estávamos (isto é, Engels e Marx) na mais acalorada luta contra Bakúnin e seus anarquistas"[3].

Justamente a Comuna de Paris os anarquistas tentavam declarar, por assim dizer, como "sua", como uma confirmação de sua doutrina, quando não compreenderam absolutamente nada das lições da Comuna e da análise de Marx dessas lições. Nada que sequer se aproxime da verdade em relação às questões políticas concretas – será preciso *quebrar* a velha máquina de Estado? Pelo *que* substituí-la? – foi respondido pelo anarquismo.

Mas falar de "anarquismo e socialismo" desviando de toda a questão do Estado, *sem notar* todo o desenvolvimento do marxismo antes e depois da Comuna, significava incorrer inevitavelmente no oportunismo. Isso porque

---

2   O Congresso de Haia da Primeira Internacional realizou-se de 2 a 7 de setembro de 1872. Dele participaram 65 delegados de quinze organizações nacionais. Na ordem do dia do evento havia duas questões fundamentais: os direitos do conselho geral e a atividade política do proletariado. Os dirigentes dos anarquistas, Mikhail Bakúnin, James Guillaume e outros, foram expulsos da Internacional. As decisões do Congresso de Haia lançaram os fundamentos para a criação dos partidos políticos independentes nacionais da classe trabalhadora. (N. E. R. A.)

3   Friedrich Engels, "Prefácio", em Karl Marx, *Crítica do Programa de Gotha* (trad. Rubens Enderle, São Paulo, Boitempo, 2012), p. 18. Os comentários entre parênteses são de Lênin. (N. E.)

o oportunismo precisa, acima de tudo, justamente que as duas questões que acabamos de abordar *não* surjam de modo nenhum. Isso *já é* uma vitória do oportunismo.

2. A POLÊMICA DE KAUTSKY COM OS OPORTUNISTAS

Sem dúvida, há uma quantidade infinitamente maior de obras de Kautsky traduzidas na literatura russa que em qualquer outra. Não é à toa que alguns sociais-democratas alemães brincam que Kautsky é mais lido na Rússia que na Alemanha (deve-se dizer entre parênteses que há nessa brincadeira um conteúdo histórico muito mais profundo do que desconfiam os que a lançaram, a saber: os trabalhadores russos, tendo procurado em 1905, com afinco excepcional, nunca antes visto, as melhores obras da melhor literatura social-democrata do mundo e tendo encontrado em outros países uma quantidade de traduções e edições dessas obras, transferiram, por assim dizer, para o solo jovem de nosso movimento proletário, de um modo acelerado, a enorme experiência do país vizinho, mais avançado).

Kautsky é especialmente conhecido entre nós, além de sua exposição popular do marxismo, por sua polêmica com os oportunistas, Bernstein à frente. Mas é quase desconhecido um fato que não se pode deixar de lado se nos propomos a tarefa de estudar como Kautsky caiu em confusão e em uma defesa incrivelmente vergonhosa do social-chauvinismo durante a gravíssima crise de 1914-1915. É justamente o fato de que, antes de se manifestar contra os representantes mais destacados do oportunismo na França (Millerand e Jaurès) e na Alemanha (Bernstein), Kautsky teve hesitações muito fortes. A revista marxista *Заря/ Zariá*[4], publicada em Stuttgart em 1901-1902 e defensora das concepções revolucionárias proletárias, foi obrigada a *polemizar* com Kautsky, a chamar de "elástica" sua resolução hesitante, evasiva, conciliadora em relação aos oportunistas no Congresso Socialista Internacional de Paris

---

4   Revista científico-política marxista, publicada em 1901-1902, em Stuttgart, pela redação do *Iskra*. Publicaram-se ao todo quatro números. (N. E. R.)

de 1900[5]. Na literatura alemã, foram publicadas cartas de Kautsky que revelam não menos hesitações antes de começar a campanha contra Bernstein.

Adquire um significado incomensuravelmente maior, entretanto, a circunstância de que, em sua própria polêmica com os oportunistas, em sua maneira de apresentar e de tratar a questão, notamos agora, quando estudamos a *história* da mais recente traição de Kautsky ao marxismo, um desvio sistemático para o oportunismo justamente na questão do Estado.

Tomemos a primeira obra importante de Kautsky contra o oportunismo, seu livro *Bernstein e o programa social-democrata*[6]. Kautsky refuta minuciosamente Bernstein. Mas eis o que é característico.

Bernstein, em *Os pressupostos do socialismo*, célebres à maneira de Heróstrato, acusa o marxismo de *"blanquismo"* (acusação repetida mil vezes, desde então, pelos oportunistas e pelos burgueses liberais da Rússia contra os representantes do marxismo revolucionário, os bolcheviques). Aqui Bernstein detém-se especialmente em *A guerra civil na França*, de Marx, e tenta – como vimos, sem sucesso nenhum – identificar o ponto de vista de Marx a respeito das lições da Comuna com o ponto de vista de Proudhon. Desperta especial atenção em Bernstein a conclusão de Marx, destacada por esse último no prefácio de 1872 ao *Manifesto Comunista*, que diz: "Não basta que a classe trabalhadora se apodere da máquina estatal para fazê-la servir a seus próprios fins".

Essa sentença "agradou" de tal modo Bernstein que ele a repete não menos de três vezes em seu livro, interpretando-a no sentido mais deturpado, oportunista.

---

5   Lênin se refere ao V Congresso Internacional da Segunda Internacional, realizado em Paris, em 23 e 24 de setembro de 1900. A propósito da questão "a conquista do poder político e as alianças com os partidos burgueses", ligada à entrada de Millerand para o governo de Waldeck-Rousseau, foi aprovada por maioria uma resolução proposta por Kautsky. Segundo ela, a entrada de socialistas individuais num governo burguês era admissível como meio forçado e temporário de lutar contra circunstâncias difíceis. Plekhánov criticou severamente a resolução no artigo "Несколько слов о последнем парижском международном социалистическом конгрессе (Открытое письмо к товарищам, приславшим мне полномочие)"/ "Neskolko slov o poseednem parijskom mejduharodnom sotsialititcheskom kongresse (Otkritoie pismo k tovarischen, prislachim mhe polhomotchie" [Algumas palavras sobre o último congresso socialista internacional, em Paris (carta aberta aos camaradas que me enviaram como representante)], publicado na revista *Zariá*, n. 1, abr. 1901. (N. E. R. A.)

6   Tradução literal de *Bernstein und das sozialdemokratische Programm*. (N. E.)

Como vimos, Marx quer dizer que a classe trabalhadora deve *quebrar, demolir, fazer explodir* (*Sprengung*, "explosão", é a expressão usada por Engels), toda a máquina de Estado. Mas, segundo Bernstein, pareceria que Marx, com essas palavras, advertiria a classe operária *contra* um revolucionarismo excessivo na tomada do poder.

Não é possível imaginar deturpação mais grosseira e escandalosa do pensamento de Marx.

E como Kautsky procedeu em sua refutação tão minuciosa da bernsteiniada[7]?

Nesse ponto, ele evitou a análise de toda a profundidade da deturpação do marxismo pelo oportunismo. Reproduziu a passagem do prefácio de Engels à *Guerra civil* de Marx, já citada, dizendo que, segundo Marx, a classe operária não pode *simplesmente* apoderar-se da máquina de Estado *que encontra montada*; em geral, *pode* apoderar-se dela, e só. Sobre o fato de Bernstein ter atribuído a Marx *exatamente o contrário* do verdadeiro pensamento de Marx, sobre o fato de que desde 1852 Marx destacou a tarefa da revolução proletária de "quebrar" a máquina de Estado[8], sobre tudo isso, Kautsky não diz uma palavra.

Daí resulta que a própria distinção essencial entre o marxismo e o oportunismo sobre a questão das tarefas da revolução proletária é escamoteada por Kautsky! "A decisão sobre o problema da ditadura proletária", escrevia ele "*contra*" Bernstein, "podemos tranquilamente deixar para o futuro" (ed. alemã, p. 172)[9].

Isso não é uma polêmica *contra* Bernstein, mas, no fundo, uma *concessão* a ele, uma entrega de posições ao oportunismo, pois, como não neces-

---

7 Referência ao bernsteinianismo, corrente da social-democracia internacional surgida em fins do século XIX na Alemanha. Eduard Bernstein se pronunciava contrário à revolução socialista e à ditadura do proletariado, declarando que a única tarefa do movimento operário era lutar por reformas que levassem à melhoria da situação econômica dos operários no interior da sociedade capitalista. Nos congressos da social-democracia alemã, Kautsky criticou o bernsteinianismo, mas não questionou sua permanência nas fileiras da social-democracia. (N. E. R. A.)

8 Ver Karl Marx, *O 18 de brumário de Luís Bonaparte* (trad. Nélio Schneider, São Paulo, Boitempo, 2011), p. 18.

9 Karl Kautsky, *Bernstein und das sozialdemokratische Programm* (Stuttgart, Dietz, 1899), p. 172.

sitam de mais nada, os oportunistas podem "muito tranquilamente deixar para o futuro" todas as questões fundamentais das tarefas da revolução proletária.

Ao longo de quarenta anos, de 1852 a 1891, Marx e Engels ensinaram ao proletariado que ele devia quebrar a máquina de Estado. Mas Kautsky, em 1899, diante da completa traição dos oportunistas ao marxismo nesse ponto, *substitui* a questão de se é necessário quebrar essa máquina pela questão das formas concretas de quebrá-la, refugia-se à sombra da "incontestável" (e estéril) verdade filistina de que não podemos conhecer antecipadamente as formas concretas!

Entre Marx e Kautsky, há um abismo de atitude para com a tarefa do partido proletário de preparar a classe operária para a revolução.

Tomemos a obra seguinte, mais madura, de Kautsky, consagrada também em medida significativa à refutação dos erros do oportunismo. É a brochura "A revolução social"[10]. O autor tomou aqui como tema principal a questão da "revolução proletária" e do "regime proletário". Ofereceu, ainda, muitas coisas extremamente valiosas, mas desviou precisamente da questão do Estado. Na brochura, fala-se com frequência da conquista do poder de Estado, e só, ou seja, elege-se uma formulação que faz uma concessão aos oportunistas, na medida em que *admite* a conquista do poder *sem* a destruição da máquina de Estado. Justamente aquilo que, em 1872, Marx declarava "datado" no programa do *Manifesto Comunista*[11] Kautsky *ressuscita* no ano de 1902.

Na brochura, dedica-se um parágrafo especial às "Formas e armas da revolução social". Aqui fala-se tanto da greve política de massas quanto da guerra civil e dos "instrumentos de poder do grande Estado moderno, sua

---

10 Karl Kautsky, "Am Tage nach der sozialen Revolution", em *Die Soziale Revolution* (Berlim, Vorwärts, 1902), p. 65-112. Traduzido do alemão por Nélio Schneider. Um excerto do mesmo texto foi editado em português, a partir da tradução para o inglês, como "O que é uma revolução social?", em Charles Wright Mills (org.), *Os marxistas* (Rio de Janeiro, Zahar, 1968), p. 184-6. (N. E.)

11 Friedrich Engels e Karl Marx, *Manifesto Comunista* (trad. Álvaro Pina, São Paulo, Boitempo, 2010), p. 72.

burocracia e suas Forças Armadas"; mas sobre o que a Comuna já ensinou aos operários, nem uma palavra. Evidentemente, não era por acaso que Engels advertia, especialmente os socialistas alemães, contra a "veneração supersticiosa" do Estado.

Kautsky expõe assim a questão: o proletariado vitorioso "tornará verdadeiro o programa democrático"; então, expõe seus tópicos. Quanto ao que o ano de 1871 ofereceu de novo sobre a questão da substituição da democracia burguesa pela democracia proletária, nem uma palavra. Kautsky escapa com estas banalidades de aparência "sólida": "Contudo, é evidente que, nas circunstâncias atuais, não chegamos ao domínio. A própria revolução pressupõe lutas longas e profundas, as quais já transformarão nossa atual estrutura política e social".

Está óbvio que isso é tão "evidente por si só" quanto a verdade de que os cavalos comem farelo de aveia e que o Volga corre para o mar Cáspio. Só é uma pena que por meio de uma frase sonora e vazia sobre as lutas "longas e profundas" *se desvie* da questão vital para o proletariado revolucionário sobre *o que exatamente* exprime a "profundidade" de *sua* revolução em relação ao Estado, em relação à democracia, diferentemente das revoluções não proletárias anteriores.

Desviando-se dessa questão, Kautsky faz *de fato* em relação a esse ponto fundamental uma concessão ao oportunismo, declarando-lhe uma guerra terrível *em palavras*, destacando a importância da "ideia de revolução" (de muito valerá essa "ideia" caso se tema propagandear entre os operários as lições concretas da revolução?) ou dizendo: "O idealismo revolucionário antes de tudo". Ou, ainda, declarando que hoje os operários ingleses "praticamente não passam de pequeno-burgueses". Escreve Kautsky:

> Em uma sociedade socialista podem coexistir as mais diversas formas de empresas: "burocráticas" (???), *trade unions*, cooperativas, individuais [...] Há, por exemplo, empresas que não podem passar sem uma organização burocrática (???), como as ferrovias. Nelas, a organização democrática pode assumir uma forma tal que os operários elejam delegados que constituirão uma espécie de parlamento, o qual estabelecerá as regras do trabalho e fiscalizará a administração do aparelho burocrático. Outras empresas podem ser entregues à

administração dos sindicatos, e outras ainda podem ser exploradas ao modo de cooperativas. (ed. russa, Genebra, 1903, p. 148 e 115.)[12]

Esse raciocínio é errado, e representa um passo para trás em relação àquilo que Marx e Engels esclareceram nos anos [18]70 pelo exemplo das lições da Comuna.

Do ponto de vista da necessidade de uma organização pretensamente "burocrática", os caminhos de ferro não se distinguem em nada de todas as empresas da grande indústria mecanizada em geral, de qualquer fábrica, de um grande armazém, de uma grande empresa agrícola capitalista. Em todas essas empresas, a técnica prescreve incondicionalmente uma disciplina bastante rigorosa, a maior precisão na observância da parte de trabalho indicada a cada um, sob perigo de paralisação de toda a empresa ou de deterioração do mecanismo, de deterioração do produto. Em todas essas empresas, naturalmente, os trabalhadores vão "eleger delegados que compõem uma *espécie de parlamento*".

Mas a questão é que essa "espécie de parlamento" *não* será um parlamento no sentido das instituições parlamentares burguesas. A questão é que essa "espécie de parlamento" *não* se limitará a "estabelecer as regras do trabalho e a fiscalizar a administração do aparelho burocrático", como imagina Kautsky, cujo pensamento não sai dos limites do parlamentarismo burguês. Na sociedade socialista, uma "espécie de parlamento" de deputados operários "estabelecerá as regras do trabalho e fiscalizará a administração" do "aparelho", *mas* esse aparelho *não* será "burocrático". Os trabalhadores, uma vez conquistado o poder político, vão destruir o velho aparelho burocrático, demolir até seus fundamentos, não deixando pedra sobre pedra, substituindo-o por um novo constituído por esses mesmos operários e empregados, *contra* os quais, em caso de transformação em burocratas, de imediato serão tomadas as medidas minuciosamente estudadas por Marx e Engels: 1) não apenas elegibilidade, mas também revogabilidade, a qualquer momento; 2) salário não superior ao salário do operário; 3) passagem imediata para a

---

12 Karl Kautsky, "Am Tage nach der sozialen Revolution", cit., p. 101.

A VULGARIZAÇÃO DO MARXISMO PELOS OPORTUNISTAS   137

realização por *todos* das funções de controle e de fiscalização, de modo que *todos* se tornem durante algum tempo "burocratas" e que, por isso, *ninguém* possa se tornar "burocrata".

Kautsky não refletiu absolutamente nada sobre as palavras de Marx: "A Comuna devia ser não um corpo parlamentar, mas um órgão de trabalho, executivo e legislativo ao mesmo tempo"[13].

Kautsky não entendeu absolutamente nada da diferença entre o parlamentarismo burguês, que une a democracia (*não para o povo*) ao burocratismo (*contra o povo*), e o democratismo proletário, que imediatamente tomará medidas para cortar o burocratismo pela raiz e que estará em condições de levar essas medidas até o fim, até a extinção completa do burocratismo, até a introdução completa da democracia para o povo.

Kautsky revelou aqui a mesma "veneração supersticiosa" em relação ao Estado, a mesma "fé supersticiosa" no burocratismo.

Passemos à última e melhor obra de Kautsky contra os oportunistas, sua brochura *O caminho para o poder* (parece que não foi editada em russo, pois saiu em 1909[14], auge da reação em nosso país). Esse texto é um grande passo adiante na medida em que nele se fala não do programa revolucionário em geral, como no de 1899 contra Bernstein, nem das tarefas da revolução social independentemente da época de seu começo, como em "A revolução social", de 1902, mas das condições concretas que nos obrigam a reconhecer que a "era revolucionária" *começa*.

O autor indica explicitamente o agravamento das contradições de classe em geral e do imperialismo, que desempenha a esse respeito, em particular, um papel importante. Depois do "período revolucionário de 1789 a 1871", na Europa ocidental, começa em 1905 um período análogo no Leste. A guerra mundial aproxima-se com uma rapidez ameaçadora. "[O proletariado] não

---

13 Karl Marx, *A guerra civil na França* (trad. Rubens Enderle, São Paulo, Boitempo, 2011), p. 57.

14 A brochura de Kautsky *Der Weg zur Macht. Politische Betrachtungen über das Hineinwachsen in die Revolution* [*O caminho para o poder: análises políticas sobre o concrescer da revolução*] só foi publicada em russo em 1918. (N. E. R.)

A obra teve uma edição brasileira, *O caminho do poder* (trad. Moniz Bandeira, São Paulo, Hucitec, 1979). Os trechos aqui reproduzidos foram traduzidos do alemão por Nélio Schneider. (N. E.)

pode mais falar de uma revolução prematura." "Entramos em um período revolucionário." "A era revolucionária começa."

Essas declarações são perfeitamente claras. Esse texto de Kautsky deve servir de medida de comparação entre o que a social-democracia germânica *prometia ser* antes da guerra imperialista e quão baixo ela caiu (incluindo o próprio Kautsky) ao explodir a guerra. Escrevia Kautsky na brochura: "A situação atual comporta o perigo de facilmente parecermos (isto é, à social--democracia germânica) mais 'moderados' do que de fato somos"[15]. Verificou-se que de fato o partido social-democrata germânico era incomparavelmente mais moderado e oportunista do que parecia!

Tanto mais característico é que, a par de tal precisão das declarações de Kautsky sobre a já iniciada era das revoluções, ele, em texto consagrado, segundo suas próprias palavras, à análise precisamente da questão da "revolução *política*", mais uma vez desviou completamente da questão do Estado.

Da soma desses desvios à questão, desses silêncios e dessas evasivas, resultou inevitavelmente essa transição completa para o oportunismo, sobre a qual trataremos agora.

A social-democracia germânica, na pessoa de Kautsky, parecia declarar: mantenho-me em minhas concepções revolucionárias (1899). Reconheço em particular a inevitabilidade da revolução social do proletariado (1902). Reconheço que começa uma nova era de revoluções (1909). Apesar de tudo isso, recuo em relação àquilo que Marx disse já em 1852, logo que se apresenta a questão das tarefas da revolução proletária em relação ao Estado (1912).

Foi exatamente assim que o tema surgiu diante da polêmica de Kautsky com Pannekoek.

---

15 Karl Kautsky, "Ein sozialdemokratischer Katechismus", *Die Neue Zeit*, v. 12, n. 2, dez. 1893, citado em *Der Weg zur Macht. Politische Betrachtungen über das Hineinwachsen in die Revolution* (Berlim, Vorwärts, 1909).

3. A POLÊMICA DE KAUTSKY COM PANNEKOEK

Pannekoek levantou-se contra Kautsky como um dos representantes da corrente "radical de esquerda", cujas fileiras contavam com Rosa Luxemburgo, Karl Rádek, entre outros, e que, defendendo a tática revolucionária, unia-se na convicção de que Kautsky passava para uma posição de "centro", que vacilava sem princípios entre o marxismo e o oportunismo. A justeza dessa concepção foi plenamente demonstrada pela guerra, quando a corrente do "centro" (erroneamente chamada de marxista) ou "kautskianismo" se revelou em toda sua repugnante mediocridade.

No artigo "Ação de massas e a revolução"[16] (*Neue Zeit*, 1912, v. XXX, n. 2), que trata da questão do Estado, Pannekoek caracterizou a posição de Kautsky como "radicalismo passivo", como "teoria da espera inativa". "Kautsky ignora o processo da revolução" (p. 616). Dessa maneira, Pannekoek abordou o tema que nos interessa das tarefas da revolução proletária em relação ao Estado.

> A luta do proletariado não é simplesmente uma luta contra a burguesia *pelo* poder de Estado como objeto, mas uma luta *contra* o poder de Estado. [...] e o conteúdo dessa revolução é a aniquilação e a dissolução (literalmente, decomposição, *Auflösung*) dos meios de força do Estado pelos meios de força do proletariado. [...] A luta só cessará quando se verificar, como resultado final, a completa destruição da organização estatal. A organização da maioria terá então provado sua superioridade pelo fato de ter extinguido a organização da minoria dominante.[17]

A formulação em que Pannekoek exprime seu pensamento sofre de defeitos muito grandes. Mas a ideia é clara, e é interessante ver *como* Kautsky a refutou. "Até aqui a destruição do poder de Estado era meta só dos anarquistas, que eles contrapunham à nossa [dos sociais-democratas] meta de conquista do poder de Estado. Pannekoek quer ambas as coisas"[18].

---

16 Tradução literal de "Massenaktion und Revolution". (N. E.)

17 Anton Pannekoek, "Massenaktion und Revolution", *Die Neue Zeit*, v. 30, n. 2, 1912, p. 548. O comentário entre parênteses é de Lênin. (N. E.)

18 Karl Kautsky, "Der jüngste Radikalismus" [O radicalismo mais recente], *Die Neue Zeit*, v. 31, n. 1, 1912-1913, p. 724.

Se a exposição de Pannekoek carece de clareza e não é concreta o bastante (sem falar aqui dos outros defeitos de seu artigo que não se relacionam com o tema de que tratamos), na questão levantada por Pannekoek, Kautsky pegou justamente a essência de *princípios* e, no âmbito *de princípio radical*, abandonou inteiramente a posição do marxismo, passou completamente para o oportunismo. A diferença entre sociais-democratas e anarquistas é definida por ele de um modo completamente falso, e o marxismo é de todo deturpado e vulgarizado.

A distinção entre os marxistas e os anarquistas reside no fato de que: 1) os primeiros, tendo como objetivo a completa extinção do Estado, reconhecem que esse objetivo só é realizável depois da extinção das classes pela revolução socialista, como resultado da instauração do socialismo, que leva ao definhamento do Estado; os segundos querem a extinção completa do Estado de um dia para o outro, sem compreender as condições da realização de tal extinção. 2) Os primeiros reconhecem o caráter imprescindível para o proletariado de, ao conquistar o poder político, destruir completamente a velha máquina de Estado, de a substituir por uma nova, que consiste na organização dos trabalhadores armados, segundo o tipo da Comuna; os segundos, ao defender a destruição da máquina de Estado, têm uma ideia absolutamente confusa de *pelo que* o proletariado a substituirá e *como* usará o poder revolucionário; os anarquistas negam até o emprego do poder de Estado pelo proletariado revolucionário, sua ditadura revolucionária. 3) Os primeiros exigem a preparação do proletariado para a revolução por meio do emprego do Estado moderno; os anarquistas negam isso.

Nesse debate, é justamente Pannekoek que representa o marxismo contra Kautsky, pois o que Marx ensinou é que o proletariado não pode apenas conquistar o poder do Estado no sentido da passagem para novas mãos do velho aparelho de Estado; ele deve quebrar, demolir esse aparelho, substituí-lo por um novo.

Kautsky passa do marxismo para os oportunistas, pois nele desaparece por completo justamente essa destruição da máquina de Estado, de todo inaceitável para os oportunistas, e deixa-lhes uma saída no sentido de interpretar a "conquista" como uma simples obtenção da maioria.

Para encobrir sua deturpação do marxismo, Kautsky age como exegeta: tira uma "citação" do próprio Marx. Marx escrevia em 1850 sobre a necessidade da "mais efetiva centralização possível do poder nas mãos do Estado"[19]. E Kautsky pergunta com solenidade: não estaria Pannekoek querendo destruir o "centralismo"?

Isso já é um simples truque, semelhante à identificação bernsteiniana do marxismo com o proudhonismo quanto às concepções sobre a federação em vez do centralismo.

A "citação" tomada por Kautsky é despropositada. O centralismo é possível tanto com a velha quanto com a nova máquina de Estado. Se os trabalhadores unirem voluntariamente suas forças armadas, isso será centralismo, mas este repousará na "destruição completa" do aparelho centralizador do Estado, do exército permanente, da polícia, da burocracia. Kautsky age de maneira trapaceira por completo ao desviar os raciocínios muito bem conhecidos de Marx e de Engels a respeito da Comuna e ao extrair uma citação que não tem relação com a questão.

> Será que Pannekoek quer extinguir as funções estatais dos funcionários? Mas não podemos passar sem funcionários no partido nem no sindicato, e muito menos na administração do Estado. Por isso, o nosso programa não reivindica a supressão dos funcionários estatais, mas a eleição das autoridades pelo povo. [...] Em nossa presente discussão não está em causa a forma que o aparelho administrativo do "Estado do futuro" assumirá, mas se nossa luta política dissolverá (literalmente, decomporá, *auflöst*) o poder de Estado *antes ainda de o termos conquistado* (grifos de Kautsky). Que ministério poderia ser suprimido com seus funcionários? (São enumerados os ministérios da Educação, da Justiça, das Finanças e o Ministério da Guerra.) [...] Não, nenhum dos atuais ministérios será eliminado pela nossa luta política contra os governos [...] Repito, para evitar mal-entendidos: não estamos falando do formato a ser conferido ao Estado do futuro pela social-democracia triunfante, mas do formato a ser dado ao Estado do presente pela nossa oposição.[20]

---

19 Karl Marx e Friedrich Engels, "Mensagem do comitê central à liga [dos comunistas]", trad. Nélio Schneider, em Emir Sader e Ivana Jinkings (orgs.), *As armas da crítica* (São Paulo, Boitempo, 2012), p. 55.

20 Karl Kautsky, "Die neue Taktik" [A nova tática], *Die Neue Zeit*, v. 30, n. 2, 1912, p. 436-46, parcialmente citado em "Der jüngste Radikalismus", cit., p. 725.

É uma clara falsificação. Pannekoek tratava precisamente da questão da *revolução*. Isso é dito de maneira clara tanto no título de seu artigo quanto nas passagens citadas. Saltando para a questão da "oposição", Kautsky substitui justamente o ponto de vista revolucionário pelo do oportunista. Nele as coisas aparecem assim: agora a oposição, e *depois* da conquista do poder a gente vê. *A revolução desaparece!* Isso é exatamente o que exigem os oportunistas.

Não se trata da oposição nem da luta política em geral, mas exatamente da *revolução*. A revolução consiste em que o proletariado *destrua* o "aparelho administrativo" e *todo* o aparelho de Estado, substituindo-o por um novo, constituído pelos trabalhadores armados. Kautsky mostra uma "veneração supersticiosa" pelos "ministérios", mas por que é que não podem ser substituídos, digamos, por comissões de especialistas junto dos sovietes soberanos e todo-poderosos compostos de deputados operários e soldados?

A essência da questão não está de modo nenhum em saber se subsistirão os "ministérios" ou se haverá "comissões de especialistas" ou quaisquer outras instituições, isso não tem nenhuma importância. A essência da questão está em saber se a velha máquina do Estado (ligada à burguesia por milhares de fios e impregnada até a medula de rotina e inércia) será mantida ou se será *destruída* e substituída por uma *nova*. A revolução deve consistir não em que a nova classe comande e administre com a ajuda da *velha* máquina de Estado, mas em que ela *quebre* essa máquina e comande, administre, com a ajuda de uma máquina *nova* – é essa *ideia fundamental* do marxismo que Kautsky escamoteia ou da qual não entendeu nada.

Sua pergunta relativa aos funcionários mostra com toda a evidência que ele não entendeu as lições da Comuna nem a doutrina de Marx. "Não podemos passar sem funcionários no partido nem no sindicato..."

Não passamos sem os funcionários *no capitalismo*, sob a *dominação da burguesia*. O proletariado é oprimido, as massas trabalhadoras são escravizadas pelo capitalismo. No capitalismo, o democratismo é limitado, comprimido, truncado, mutilado por todo o ambiente de escravatura assalariada, de necessidade e miséria das massas. Por isso, e só por isso, em nossas organizações políticas e sindicais os funcionários se corrompem (ou têm tendência para ser corrompidos, falando mais precisamente) pelo ambiente do capitalismo e mostram uma tendência para se transformar em burocratas, ou seja, em pessoas privilegiadas, desligadas das massas, colocadas acima das massas.

Nisso reside a *essência* do burocratismo, e, enquanto os capitalistas não forem expropriados, enquanto a burguesia não for derrubada, até esse momento é inevitável certa "burocratização" *mesmo* dos funcionários proletários.

Em Kautsky, as coisas aparecem assim: uma vez que se conservam os funcionários públicos eleitos, quer dizer que se conservam também funcionários no socialismo, que a burocracia será conservada! E é justamente isso que é falso. Foi exatamente por meio do exemplo da Comuna que Marx mostrou que no socialismo os que ocupam funções públicas deixam de ser "burocratas", de ser "funcionários", deixam de sê-lo *à medida* que, além da elegibilidade, introduz-se *ainda* a revogabilidade a qualquer momento, *e ainda* a redução dos vencimentos ao nível operário médio, *e ainda* a substituição das instituições parlamentares por instituições "[que formem um corpo de trabalho], isto é, executivo e legislativo ao mesmo tempo"[21].

No fundo, toda a argumentação de Kautsky contra Pannekoek, especialmente o belo argumento de Kautsky de que na organização tanto dos sindicatos quanto do partido não podemos passar sem funcionários, mostra que Kautsky repete os velhos "argumentos" de Bernstein contra o marxismo em geral. Em seu livro de renegado *Os pressupostos do socialismo*, Bernstein combate as ideias de democracia "primitiva", aquilo que chama de "democratismo doutrinário" – mandatos imperativos, funcionários não remunerados, representação central impotente etc. Para demonstrar a inconsistência deste democratismo "primitivo", Bernstein invoca a experiência das *trade unions* inglesas na interpretação dos esposos Webb[22]. Em setenta anos de seu desenvolvimento, diz, as *trade unions*, que se teriam pretensamente desenvolvido "em plena liberdade" (ed. alemã, p. 137), convenceram-se justamente da

---

21 Karl Marx, *A guerra civil na França*, cit., p. 57.

22 Trata-se do livro de Beatrice e Sidney Webb *Theory and Practice of English Trade Unionism* [A teoria e a prática do trade-unionismo inglês]. (N. E. R.)

inutilidade do democratismo primitivo e substituíram-no pelo habitual: o parlamentarismo combinado com o burocratismo.

De fato, as *trade unions* desenvolveram-se não "em plena liberdade", *mas em plena escravidão capitalista*, na qual, certamente, "não se passa" sem uma série de concessões ao mal reinante, à violência, à mentira, à exclusão dos pobres dos assuntos da administração "superior". No socialismo, muito da democracia "primitiva" reviverá necessariamente, pois, pela primeira vez na história das sociedades civilizadas, a *massa* da sociedade se elevará até a participação *autônoma* não só nas votações e nas eleições, *mas também na administração cotidiana*. No socialismo, *todos* administrarão por turno e se habituarão depressa a que ninguém administre.

Marx, com sua inteligência crítico-analítica genial, viu nas medidas práticas da Comuna aquela *ruptura* que os oportunistas temem e não querem reconhecer por covardia, porque não querem romper definitivamente com a burguesia, e que os anarquistas não querem ver quer por pressa, quer por incompreensão das transformações sociais de massas em geral. "Não se deve sequer pensar em destruir a velha máquina de Estado, pois como poderíamos passar sem ministérios e sem funcionários?", raciocina o oportunista impregnado até a medula de filistinismo e que, no fundo, não só não acredita na revolução, na atividade criadora da revolução, como tem um medo mortal dela (como têm medo dela nossos mencheviques e nossos socialistas-revolucionários).

"A única coisa que importa é destruir a velha máquina de Estado; não é preciso embrenhar-se nas lições *concretas* de revoluções proletárias anteriores nem analisar *pelo que* e *como* substituir o que for destruído"[23], raciocina o anarquista (o melhor dos anarquistas, naturalmente, não aquele que, atrás dos srs. Kropótkin e cia., se arrasta atrás da burguesia); e daqui decorre no anarquista uma tática de *desespero*, não um trabalho revolucionário com

---

23 Ao criar este tipo anarquista hipotético, Lênin provavelmente tem em mente nomes como Serguei Netcháiev e Mikhail Bakúnin, que de alguma maneira lhe interessaram em sua juventude. Para mais a respeito de aproximações e divergências de Lênin com esses anarquistas, ver, por exemplo, Tamás Krausz, *Reconstruindo Lênin* (trad. Baltazar Pereira e Pedro Davoglio, São Paulo, Boitempo, 2017), Capítulo 1. (N. E.)

objetivos concretos, implacável e audacioso e que considere ao mesmo tempo as condições práticas do movimento de massas.

Marx ensina-nos a evitar ambos os erros, ensina-nos uma audácia sem limites na destruição de toda a velha máquina de Estado e, ao mesmo tempo, ensina a apresentar a questão de uma forma concreta: a Comuna pôde, em algumas semanas, *começar* a construir uma máquina de Estado *nova*, proletária, assim e assado, tomando as medidas indicadas para assegurar o maior democratismo e extirpar o burocratismo. Aprendamos, pois, com os *communards* a audácia revolucionária, vejamos em suas medidas práticas um *esboço* das medidas praticamente urgentes e imediatamente possíveis e, então, *seguindo esse caminho*, chegaremos à completa destruição do burocratismo.

A possibilidade dessa destruição é assegurada pelo fato de que o socialismo reduzirá o dia de trabalho, elevará *as massas* a uma vida nova, colocará *a maioria* da população em condições que permitam a *todos*, sem exceção, desempenhar as "funções públicas", e isso conduzirá à *extinção completa* do Estado em geral. Prossegue Kautsky:

> A tarefa da greve de massas não pode ser a de *destruir* o poder de Estado, mas tão somente a de forçar um governo à aquiescência numa questão determinada ou de substituir um governo hostil ao proletariado por um que vá ao seu encontro (*entgegenkommende*). [...] Mas isso (ou seja, a vitória do proletariado sobre o governo hostil) jamais poderá conduzir à destruição do poder do Estado, mas sempre só a um *deslocamento* (*Verschiebung*) das relações de força no interior do poder do Estado. [...] E o objetivo da nossa luta política continua, assim, a ser o que foi até aqui: conquistar o poder de Estado pela obtenção da maioria no parlamento e elevação do parlamento à condição de senhor do governo.[24]

Isso é já o mais puro e vulgar oportunismo, a renúncia de fato à revolução, embora reconhecendo-a em palavras. O pensamento de Kautsky não vai além de "um governo que vá ao encontro do proletariado" – um passo para trás rumo ao filistinismo se comparado com 1847, quando o *Manifesto Comunista* proclamava a "elevação do proletariado a classe dominante"[25].

24 Karl Kautsky, "Die neue Taktik", cit., p. 726-7 e 732.
25 Friedrich Engels e Karl Marx, *Manifesto Comunista*, cit., p. 57.

Kautsky terá de realizar a "unidade" por ele preferida com os Scheidemann, os Plekhánov, os Vandervelde, todos de acordo em lutar por um governo "que vá ao encontro do proletariado".

Mas nós romperemos com esses traidores do socialismo e lutaremos pela destruição de toda a velha máquina de Estado, para que o próprio proletariado armado *seja o governo*. Isso são "duas coisas muito diferentes".

Kautsky terá de ficar na agradável companhia dos Legien e dos David, dos Plekhánov, dos Potréssov, dos Tseretéli e dos Tchernov, que estão completamente de acordo em lutar por um "deslocamento das relações de forças no interior do poder do Estado", pela "obtenção da maioria no parlamento e elevação do parlamento à condição de senhor do governo", objetivo de grande nobreza, em que tudo para os oportunistas é aceitável, tudo permanece no quadro da república parlamentar burguesa.

Mas nós romperemos com os oportunistas; e todo o proletariado consciente estará conosco na luta não por uma "modificação de relação de forças", mas pela *derrubada da burguesia*, pela *destruição* do parlamentarismo burguês, por uma república democrática do tipo da Comuna ou uma república dos sovietes de deputados operários e soldados, pela ditadura revolucionária do proletariado.

Mais à direita que Kautsky no socialismo internacional estão correntes como a dos *Cadernos Mensais Socialistas*[26] na Alemanha (Legien, David, Kolb e muitos outros, incluindo os escandinavos Stauning e Branting); os jauressistas[27] e Vandervelde na França; na Bélgica, Turati, Trèves e outros

26 A revista alemã *Sozialistische Monatshefte* [Cadernos Mensais Socialistas – no original de Lênin, o título aparece em russo] foi publicada em Berlim de 1897 a 1933. Durante a Primeira Guerra Mundial, teve uma posição social-chauvinista. (N. E. R. A.)

27 Partidários de Jean Jaurès, que encabeçava a ala direita do movimento socialista francês e internacional. Apesar da reivindicação da "liberdade de crítica", os jauressistas reviam as teses fundamentais do marxismo e advogavam a colaboração do proletariado com a burguesia. Em 1902, formaram o Partido Socialista Francês, que tomou posições reformistas. (N. E. R. A.)
Em 1905, os jauressistas uniram-se ao Partido Socialista da França para formar a Seção Francesa da Internacional Operária (SFIO), embrião do atual Partido Socialista. Durante a Primeira Guerra Mundial, apoiaram a guerra e tomaram uma posição social-chauvinista. Sua discordância em relação aos rumos do Estado soviético levaria a ala esquerda da SFIO, pró-revolução, a romper com o partido e criar do Partido Comunista Francês em 1920. (N. E.)

representantes da ala direita do partido italiano[28]; os fabianos e os "independentes" (o partido trabalhista independente[29], que na realidade esteve sempre na dependência dos liberais) na Inglaterra; e outros similares. Todos esses senhores, que desempenham um papel enorme, muitas vezes preponderante, no trabalho parlamentar e na publicística do partido, negam abertamente a ditadura do proletariado e praticam um oportunismo descarado. Para esses senhores, a "ditadura" do proletariado "contradiz" a democracia! Eles, em essência, não se diferenciam seriamente em nada dos democratas pequeno-burgueses.

Considerando essa circunstância, temos o direito de concluir que a Segunda Internacional, na esmagadora maioria de seus representantes oficiais, descambou completamente para o oportunismo. A experiência da Comuna foi não só esquecida, mas deturpada. Não só não se incutiu nas massas trabalhadoras que se aproxima o momento em que deverão agir e quebrar a velha máquina de Estado substituindo-a por uma nova e transformando, desse modo, sua dominação política com base na reorganização socialista da sociedade, como se incutiu nas massas o contrário, e a "conquista do poder" foi apresentada de tal maneira que ficaram abertas mil brechas para o oportunismo.

---

28 O Partido Socialista Italiano (PSI) foi fundado em 1892. Em 1912, sob a pressão da ala esquerda, os reformistas partidários da colaboração com o governo e a burguesia foram expulsos do partido. Até a entrada da Itália na Primeira Guerra Mundial, o PSI se pronunciou pela neutralidade e manteve uma posição centrista. Em maio de 1915, com a entrada da Itália no conflito, manifestaram-se três tendências no partido: 1) uma de direita, que ajudava a burguesia no combate; 2) uma centrista, majoritária, cuja palavra de ordem era "nem participar na guerra nem a sabotar"; e 3) uma de esquerda, contrária à guerra, mas que não soube organizar uma luta consequente contra ela. Em fins de 1916, o partido tomou a via do social-pacifismo. (N. E. R. A.)
Em 1921, sob a liderança de Antonio Gramsci e Amadeo Bordiga, a ala revolucionária cindiu-se do PSI, formando o Partido Comunista Italiano. O PSI tornou-se cada vez mais reformista a partir da década de 1950, chegando a participar de coalizões nos governos democratas-cristãos. O partido se dissolveu em 1994, em meio ao desenrolar da Operação Mãos Limpas. (N. E.)

29 Organização reformista fundada em 1893 durante a reanimação da luta grevista e das ações pela independência dos trabalhadores em relação aos partidos burgueses. Do Partido Trabalhista Independente faziam parte membros das "novas *trade unions*" e de uma série de velhos sindicatos, representantes da intelectualidade e da pequena burguesia. O partido, dirigido por Keir-Hardie, assumiu desde sua fundação posições reformistas e se dedicou à busca por representação parlamentar. (N. E. R. A.)
Em 1906, tornou-se uma corrente do Partido Trabalhista, tendo se desvinculado dele em 1932 para, no pós-Segunda Guerra, voltar a integrá-lo. (N. E.)

148 O ESTADO E A REVOLUÇÃO

A deturpação e o silenciamento sobre a questão da relação da revolução proletária com o Estado não podiam deixar de desempenhar um papel enorme no momento em que os Estados, com um aparelho militar reforçado em consequência da competição imperialista, converteram-se em monstros guerreiros que exterminaram milhões de pessoas para resolver o litígio de quem – Inglaterra, Alemanha ou outro capital financeiro qualquer – terá domínio sobre o mundo[30].

---

30 No manuscrito segue-se: "Capítulo 7 – A experiência das revoluções russas de 1905 e 1917".
"O tema indicado no título deste capítulo é tão imensamente grande que sobre ele se pode e se deve escrever volumes. Na presente brochura, temos de nos limitar, evidentemente, apenas às lições mais importantes da experiência, que dizem respeito diretamente às tarefas do proletariado na revolução em relação ao poder do Estado." (N. E. P.)
Além desse pequeno trecho, Lênin deixou escrito um plano do capítulo, reproduzido na p. 169 deste volume. (N. E.)

POSFÁCIO À PRIMEIRA EDIÇÃO

O presente texto foi escrito em agosto e setembro de 1917. Eu já tinha estabelecido o plano do capítulo seguinte, o sétimo: "A experiência das revoluções russas de 1905 e 1917". Mas, além do título, não tive tempo para escrever uma única linha desse capítulo – "impediu-me" uma crise política, a véspera da Revolução de Outubro de 1917. Só podemos nos alegrar com tal "impedimento". O segundo fascículo (consagrado à *experiência das revoluções russas de 1905 e 1917*) deverá provavelmente ser adiado por muito tempo; é mais agradável, é mais útil viver a "experiência da revolução" que escrever sobre ela.

O autor
Petrogrado, 30 de novembro de 1917

PLANOS, RESUMOS E NOTAS AO LIVRO *O ESTADO E A REVOLUÇÃO*[1]

1 Os "Planos, resumos e notas ao livro *O Estado e a revolução*" foram escritos por Vladímir Ilitch Lênin entre junho e setembro de 1917 e publicados pela primeira vez no n. 107 da revista *Большевик/ Bolchevik*. O material revela a atividade científica e artística de Lênin e mostra como ele estudou com cuidado cada questão de seu livro, "do qual ele fez cópias para as massas, às quais ele considerou em todos os seus aspectos". (Nadiéjda K. Krúpskaia. *Воспоминания о Ленине/ Vospominánia o Lênine* [Memórias sobre Lênin], Moscou, 1957, p. 300). (N. E. R. A.)

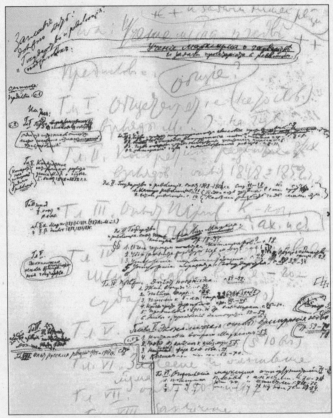

Página do manuscrito de V. I. Lênin "Planos, resumos e notas ao livro *O Estado e a revolução*", correspondente ao material das p. 172-3 deste volume. Julho-setembro de 1917.

1
PLANOS DO LIVRO

1

Estudo do marxismo sobre o Estado
Escolher a ordem de apresentação, histórico-
-dogmática (α) ou lógica (β)?
(α) Desenvolvimento dos olhares (cronológico) de
Marx e Engels. 1847, 1848, 1852, 12. IV. 1871,
1872, 1873, 1875, 1878 (*Anti-Dühring*), 1891
("Crítica ao Programa de Erfurt"), (1891: prefácio
à *Bürgerkrieg*[2]) 1894, (1895).
(β) {O Estado na sociedade gentílica...   {Introdução}
O Estado na sociedade gentílica...}
Entfremdung [alienação]; Como é o domínio da
burguesia na república democrática?
Engels 1887. Engels 1894 (*"Ursprung"*[3])
O Estado e a revolução (e o socialismo).
1847 e 1848
1852: a experiência da revolução francesa.
Experiência da Comuna... 1871; 1872; 1873; 1875.
Passagem do capitalismo para o socialismo:
econômica: *Crítica do programa de Gotha*: 2 fases
da sociedade comunista.
política: passagem do Estado ao *não Estado*.

---

2 "Guerra Civil" – referência a *A guerra civil na França*, de Karl Marx
(trad. Rubens Enderle, São Paulo, Boitempo, 2011). (N. E.)

3 "Origem" – referência a *A origem da família, da propriedade privada e
do Estado*, de Friedrich Engels (trad. Leandro Konder, Rio de Janeiro,
Civilização Brasileira, 1984). (N. E.)

Plekhánov em 1895 *nil* [nada]

K. Kautsky *versus* Pannekoek

(*Nil* e pior que *nil*)

Experiências de 1905 e 1917. "Sovietes"...

2

Etwa [aproximadamente]

I. Introdução. (O Estado nas sociedades pré-classes e de classes. O que é o Estado?)

II. O Estado moderno.

{A república democrática e a bolsa de valores. As armas e a guerra.}

III. "O definhamento do Estado"

<Sumário desse conceito.>

IV. 1847 e 1848: "Teoria"

V. 1852: lições da história francesa e das revoluções francesas.

NB ‖ VI. Experiência da Comuna.

(*Endlich entdeckte*[4])

ad VI[5]

carta 12. IV. 1871[6]. **1871**

Prefácio ao *Manifesto Comunista* 24. VI. 1872[7]

---

4   "Enfim descoberta!" – referência à menção de Marx à Comuna de Paris como "forma política enfim descoberta para se levar a efeito a emancipação econômica do trabalho" (Karl Marx, *A guerra civil da França*, cit., p. 59). Embora Marx tenha escrito essa obra em inglês, Lênin teve contato com a edição alemã. (N. E.)

5   Até o parágrafo VI. (N. E.)

6   Trata-se da carta de Marx a Kugelmann de 12 de abril de 1871, em *A guerra civil na França*, cit., p. 207-8. (N. E. R.)

7   Karl Marx e Friedrich Engels, "Prefácio à edição alemã de 1972", em *Manifesto Comunista* (trad. Álvaro Pina, São Paulo, Boitempo, 2010), p. 71-2. (N. E.)

1873^8.

1875^9.

VII. Economia do estágio da passagem do capitalismo para o comunismo.

VIII. Passagem política do Estado ao "*não Estado*".

IX. Esquecimento e banalização do marxismo.

Plekhánov 1894 *nil*.

K. Kautsky em 1912 *recuo*.

X. Experiências de 1905 e 1917.

> talvez, com mais cautela:
>
> X. Conclusão
>
>   (experiências de 1905 e 1917)

3

Plano da brochura[10]

(p. 1) Prefácio: Importância teórica e atualidade da questão.

{1. Introdução

Citação de "*Ursprung*": sociedade pré-classes sem Estado e sociedade de classes com Estado.
O que é o Estado? (É só o que "sabem" os oportunistas e kautskistas).

p. 36; 37-38
[191-6]

---

8 Trata-se dos textos "Der politische Indifferentismus" [O indiferentismo político], de Marx, e "Von der Autorität" [Da autoridade], de Engels. O segundo foi editado em português: "Da autoridade", em Karl Marx e Friedrich Engels, *Obras escolhidas* (Lisboa, Avante!, 1985), t. 2, p. 407-10. (N. E.)

9 Referência a Karl Marx, *Crítica do Programa de Gotha* (trad. Rubens Enderle, São Paulo, Boitempo, 2012).

10 A paginação da coluna lateral refere-se ao manuscrito de Lênin *Марксизм о государстве/ Marksizm o gossudarstve* [O marxismo sobre o Estado] – o célebre "Caderno azul", no qual compilou e comentou textos de diferentes autores e que serviu de base para *O Estado e a revolução*. Entre colchetes, assinalamos a localização, nas edições brasileiras aqui usadas como referência, dos trechos por ele citados. (N. E.)

156 O ESTADO E A REVOLUÇÃO

2. *Estado moderno:*

República democrática e a Bolsa de valores

p. 37 [195] (Engels em *Ursprung*).

as armas e a guerra (Engels em *Anti-Dühring*)

? **Imperialismo** *"Truste estatal", monopólio estatal.*

(+ Engels sobre *Planlosigkeit*...[11])

3. *"Definhamento e morte do Estado".*

Lembrar a crítica ao "Estado nacional livre".

p. 38-39 [316-7] (*ib.* Engels em *Anti-Dühring*) esqueceram!!!}

ΣΣ = conclusões gerais. Notório. Como *em geral* não se aplica à questão da revolução, das formas e dos métodos de extinção. Permite interpretação oportunista.

"definhamento e morte" *versus* "quebrar"|
Comparar "definhamento" e citação de *Anti-Dühring* Panegírico à revolução violenta.

> Juntar §§ 1-3 como "Sociedade de classes e Estado"[12] (p. 2).

Desenvolvimento concreto do ponto de vista de Marx e Engels:

p. 22 [147] {4. 1987 (*Miséria da filosofia*)

p. 22-23 [50-7] e 1848 (*Manifesto Comunista*)

---

11 "Ausência de planificação" – remete a "Para a crítica do projeto de programa social-democrata de 1891", em Karl Marx e Friedrich Engels, *Obras escolhidas*, cit., t. 3, p. 478-89. (N. E. R. A.)

12 No manuscrito original estava escrito: "Talvez juntar §§ 1-3 como 'Os pontos de vistas teóricos gerais do marxismo sobre o Estado'?". (N. E. R.).

PLANOS, RESUMOS E NOTAS AO LIVRO *O ESTADO E A REVOLUÇÃO* 157

Ponto esquecido: "Estado, isto é, o proletariado
organizado como classe dominante"...
Como organizado?

5. *1852*[13]: Lições das revoluções francesas ("quebrar
a máquina").
    p. 2-3-4 [140-1]

Engels sobre a história "classicista" da França:}
    p. 4 [22-1]

6. *A experiência da Comuna*:
    ‖ p. 1-2 [207]

    (γ) 12. IV. 1871 (Carta de Marx a Kugelmann.)

    (δ) (30. V. ?) 28. V. 1871. (*Guerra civil*)
    p. 27-28-29-30-31 [55-9]

    (α) Prefácio ao *Manifesto Comunista* 24. VI. 1872
    p. 1 [72]

    (β) Bernstein sobre o "democratismo doutrinário"
p. 23-24-25-26 [56, 112]
    p. 1 (B) [72]
12°
(1872: *Zur Wohnungsfrage*[14],
p. 25 [112]: "abolição
do Estado")
("ditadura do
proletariado": p. 26
[112])

7. As distorções de Bernstein e os subterfúgios de
Kautsky ("não pode simplesmente apoderar-se")...
    NB + 47.

8. 1873 (contra os anarquistas)
    p. 39-40-41-42 [407-10]

9. 1875. Fundamentos econômicos *da passagem do
Estado para o não Estado*.
    ‖ p. 15-16-17-**18**-19 [42-3]

(Marx em *Crítica ao Programa de Gotha*)

10. 1875 (Engels a Bebel). (ΣΣ[15])
    p. 13-(14) [51-9]
<+21 [14] *in finem*
Engels und Bebel>

---

13 Refere-se a *O 18 de brumário de Luís Bonaparte*, de Karl Marx. A citação
seguinte a Engels diz respeito ao prefácio deste à terceira edição alemã
da obra. (N. E.)

14 *Zur Wohnungsfrage* – referência a *Sobre a questão da moradia*, de Friedrich Engels (trad. Nélio Schneider, São Paulo, Boitempo, 2011).

15 *Summa summarum*, no todo. (N. E. R.)

158 O ESTADO E A REVOLUÇÃO

p. 5-6-7-8 [478-89]

p. 39 [205-6]

10 *bis*[16]. 1891: Engels, prefácio à 3ª edição
<Engels 1887: p. **23**[17]>
Engels em *Crítica* 1891.
Engels: *1894*:
Capítulo VI (11). A vulgarização[18] do marxismo pelos oportunistas.

(α) Plekhánov na brochura sobre o anarquismo →
? 1894 – *nil*!

<Especialmente **NB**:
"Parecemos mais
moderados do que
somos" (Kautsky), p. 44.>

p. 43-44-45-46-47.

Tradição revolucionária.

(β) Kautsky *1902* (*Revolução social*) e 1909 (*O caminho para o poder*) muito ruim + Kautsky 1899 contra Bernstein.

(γ) Kautsky *versus* Pannekoek 1912 *recuo*.

(δ) "*Preparação* para a revolução".

Quid est?

(cf. Engels 1894-1895[19], <p. 10-11-12 [62-70]>)
+ p. 20 [52] ("massa reacionária"[20])

"Messianismo"? Não,
cálculo
1905-1907
("os franceses
começam, os alemães
terminam")
p. 11-12...
(cf. Spectator[21]
1915-1916)...
Ou para o Capítulo VII?

(+ uma folha anexa: Kautsky: "*über Nacht*"[22]).

16 "Segunda versão do item 10". A obra referida é o prefácio a *A guerra civil na França*. (N. E.)

17 Referência ao prefácio de Engels a *Zur Erinnerung für die deutschen Mordspatrioten* [Em memória dos mártires patriotas alemães], de Sigismund Borkheim. (N. E.)

18 No manuscrito original estava escrito: "O esquecimento" (N. E. R.).

19 Referência a "Die Bauernfrage in Frankreich und Deutschland", em *Die Neue Zeit*, v. 10, n. 1, 1894-1895 [ed. port.: "A questão camponesa em França e na Alemanha", em Karl Marx e Friedrich Engels, *Obras escolhidas*, cit., t. 3, p. 62-70]. (N. E.)

20 "Friedrich Engels a August Bebel (março de 1875)", em Karl Marx, *Crítica do Programa de Gotha*, cit.

21 Pseudônimo do economista russo Míron Isaákovitch Nakhímson. Embora não seja citado nas anotações do "Caderno azul", o texto referenciado no plano é, provavelmente, "Vom Marxismus zum Imperialismus", em *Die Neue Zeit*, v. 34, 1915-1916, p. 193-97. (N. E.)

22 Trata-se de folha anexa ao artigo de Kautsky "Banditenpolitik" [Política de bandidos], publicado em *Die Neue Zeit*, v. 30, n. 1, 6 out. 1911. O texto

> *Ad* **δ** ao cap. VI.
> Acrescentar: "os franceses começam, os alemães ter-
> minam": Engels: 2. VI. 1894[23]: p. 11-12.

> (Cap. VI ad **δ**). Engels sobre via pacífica (prefácio
> 1895)[24]: p. 11 (+ NB: p. 27[25]).

Capítulo VII (12). A experiência dos anos de 1905 e 1917.

Sovietes. Quid est? <cf. 1905 e 1906, revolução dos bolcheviques>

Do mesmo **tipo** da Comuna.

Arruinados os socialistas-revolucionários e os mencheviques.

> Passagem para o socialismo em NB, formas
> de passagem concretas (NB)...

terminava com as palavras "Ela [a luta eleitoral] pode durante a noite ("*über Nacht*") transformar-se em luta pelo poder". Lênin faz essa citação também nos materiais preparatórios para "Imperialismo, fase superior do capitalismo" (ver *Сочинения/ Sotchinénia* [Obras], 4 ed., v. 39, p. 358). (N. E. R.)

23 Referência a trecho da carta de Friedrich Engels a Paul Lafargue, 2 de junho de 1894: "*die Franzosen geben das Signal, eröffnen das Feuer, und die Deutschen entscheiden die Schlacht*" [Os franceses dão o sinal, abrem fogo, e os alemães decidem a batalha]. (N. E.)

24 "[...] *die um jeden Preis friedliche und antigewalttätige Taktik zu stützen*" [apoiar a qualquer preço as táticas pacíficas e não violentas]. Referência à carta de Friedrich Engels a Paul Lafargue, 3 de abril de 1895. Nela, Engels critica Wilhelm Liebknecht por publicar fora de contexto trechos de seu recente prefácio a *As lutas de classes na França*, de Karl Marx (trad. Nélio Schneider, São Paulo, Boitempo, 2012), de modo que Engels parecesse defender a derrota do capitalismo pela via eleitoral. (N. E.)

25 Referência ao texto de Kautsky "Der charakterlose Engels" [Engels descaracterizado], no qual rebate críticas a seus comentários ao prefácio de Engels para *As lutas de classes na França*. Em *Die Neue Zeit*, v. 27, n. 2, 1908-1909, p. 414-6. (N. E.)

Capítulo VII:
1. (α) 1905. Revolução dos bolcheviques de 1906.
Nil na literatura europeia ocidental sobre o Estado.
2. (β) 1915: Teses dos "sociais-democratas".

3. (γ). Experiência.
{– poder.
– milícia
– passagem para o socialismo.}
4. (δ) Relação dos socialistas-revolucionários e dos mencheviques.
5. (ε) Meu prognóstico em VI. 1917 no congresso dos sovietes!
6. (ζ) Experiência VII e VIII 1917.
7. IX. 1917.
8. "Messianismo"? Quem "começa"?
9. Engels sobre a "preparação" da revolução.
Tradição revolucionária.

Capítulo VIII (13). Conclusão.
A necessidade de alterações no programa dos sociais-democratas.
<*Passos* para tal com o Socialist *Labor* Party[26]> – abaixo
Projeto do programa do POSDR em IV e V 1917.

---

26 Referência ao Partido Socialista Trabalhista estadunidense, cuja figura mais proeminente era Daniel De Leon. (N. E.)

2
Notas ao plano do livro

> Não se adicionaria um capítulo (ou §§ no Capítulo VII): a tarefa concreta da experiência revolucionária de 1917? É imprescindível!
> desenvolver Capítulo VII, γ

> É preciso acrescentar: *relação com o anarquismo.*
> "De quem é Comuna?"
> Quando, como e para que o Estado é necessário? Pode-se encerrar com comentário ao artigo de Engels contra os anarquistas no ano de 1873[27].

‖ NB

Para uma questão sobre o "messianismo": "*Was ökonomisch formall falsch, kann weltgeschichtlich richtig sein*"[28], prefácio de Engels à *Miséria da filosofia*, tradução russa de C. Aliéksiev, 3ª edição, Новый мир/ *Nóvi Mir*, São Petersburgo, 1906, p. 7-8:
"Mas o que pode ser formalmente falso do ponto de vista econômico pode ser verdadeiro do ponto de vista da história universal".
"[...] Por trás da inexatidão econômica formal pode ocultar-se um conteúdo econômico real"[29] (p. 8).

‖ NB

---

27 Friedrich Engels, "Da autoridade", cit.

28 No original de Engels, a passagem completa diz: "*Was aber ökonomisch formell falsch, kann darum doch weltgeschichtlich richtig sein*". (N. E.)

29 Friedrich Engels, "Prefácio de Engels à primeira edição alemã", em Karl Marx, *Miséria da filosofia* (trad. José Paulo Netto, São Paulo, Boitempo, 2017), p. 155.

3
Plano de divisão do livro por capítulos
1

Pode ser, juntar §§ 1-3 como introdução (ou seção I?): "Ponto de vista teórico geral do marxismo sobre o Estado" (aquilo sobre o que, até agora, oportunistas e kautskistas apenas gostariam de saber). Em seguida: desenvolvimento concreto do ponto de vista de Marx e Engels sobre o papel do Estado na revolução e na passagem para o socialismo: (α) 1847 e 1848, como planejado; (β) 1852 como balanço da experiência da França; (γ) experiência de 1871 = principal; e (δ) "resumo" de 1891 ((1894-1847 = 47 anos)).

2

Capítulo I. Os pontos de vista mais conhecidos de Marx e Engels sobre o Estado.

II. Balanço das experiências 1789-1851.

III. Experiência de 1871.

IV. *Como* se inicia o definhamento do Estado?[30]

3

Etwa: *Doutrina do marxismo sobre o Estado* (e as tarefas da nossa revolução)

Prefácio.

Capítulo I. Os pontos de vista teóricos gerais (não é essa a expressão) (Gerais?) de Marx e Engels sobre o Estado.

---

30 Este texto Lênin escreveu a lápis vermelho em cima de outro. Acima deste estava escrita a expressão "não é bom" circulada. (N. E. R.).

Capítulo II. Desenvolvimento concreto desses
pontos de vista: experiência de 1848-
-1852.
Capítulo III. Experiência da Comuna de Paris.

> De quem é a Comuna? Dos anarquistas ou dos
> sociais-democratas.

Capítulo IV. Fundamentos econômicos do estado
de transição do Estado para o não
Estado (§ 6, 9-10).
Capítulo V. Apreciações finais de Engels em 1890
(§ 10 *bis*).
Capítulo VI. Esquecimento e banalização do
marxismo.
Capítulo VII. Experiências de 1905 e 1917.
Capítulo VIII. Conclusões.[31]

---

31 Este texto foi escrito por V. I. Lênin a lápis azul. Acima deste, está escrito
à tinta o sumário da brochura. (N. E. R.).

4

Plano do prefácio

Prefácio: α) Da delimitação do marxismo e do anarquismo[32]. β) Questão teórica de primeira importância, sobretudo, em relação ao imperialismo. γ) Oportunismo e sua relação com o Estado. δ) "Era" das revoluções sociais. ε) 1917.

---

32 Nos manuscritos, lia-se originalmente: α) Motivo (???): a disputa pela delimitação entre marxismo e anarquismo. (N. E. R.)

5
Materiais para o Capítulo III do livro

1
Resumo das citações do trabalho de K. Marx
A guerra civil na França[33]

I. Extinção do exército permanente (p. 28, n. 1 [56]).
Rascunhos: mandatos e dos trabalhadores: (p. 28,
n. 2 [56])
A polícia despojada dos seus atributos políticos e
o mandato (p. 28, n. 4 [56]).
Também outros rascunhos (p. 28, n. 5 [56]).
Do salário (p. 28, n. 6 [56])...
A perda dos privilégios (p. 28, n. 7 [56])...
Dissolução da Igreja (p. 28, n. 8 [56]).
Juízes (p. 28, n. 9 [56])
p. 30, n. 17 [59]

II. A comuna não como um corpo parlamentar, mas
como um órgão de trabalho, Executivo e Legislativo
(p. 28, n. 3 [57]).
NB: não parlamentarismo, mas representantes do
povo: p. 29, n. 13 [57].

III. Comuna: organização de toda a França: p. 29,
n. 10 [57]
   e governo central: p. 29, n .11 [58].
   "unidade da nação": p. 29, n .12 [58].

---

33 A paginação corresponde à da citação dos trechos no manuscrito de
Lênin *O marxismo sobre o Estado*, seguida pela numeração por ele
atribuída a esses parágrafos. Entre colchetes, referenciamos os trechos
correspondentes na mencionada edição brasileira de *A guerra civil na
França*. (N. E.)

idem, p. 30, n. 16 [59]

$\Sigma\Sigma$ = Comuna *não* = da idade média, mas *nova*: p. 58; abaixo o *parasita*, o Estado: p. 29, n. 15 [58-9].

IV $\Sigma\Sigma$ = Forma política enfim descoberta: p. 30, n. 18 [59].
V. Condições para tudo: p. 30, n .19 [59] <e p. 31 [60]>.

2
Primeiro resumo do Capítulo III
1. Tentativa de "quebrar" a máquina do Estado.
2. Pelo que trocá-la? Extinção do exército e do funcionalismo permanentes.
3. Não parlamentarismo, mas trabalhadores.
4. Como organizar a unidade da nação.
5. Abaixo o parasita – o Estado.
6. Finalmente, descoberta.
7. *Condições.*

3
Segundo resumo para o Capítulo III[34]
Etwa:
1. Em que consiste o heroísmo dos *communards*? p. 18 [59].
2. Pelo que substituir a máquina quebrada do Estado? p. 21 [64].

---

34 Ao que parece, quando Lênin compilou o resumo do Capítulo 3, o livro já estava em processo de escrita. Os números apontam as páginas do manuscrito de *O Estado e a revolução*. Entre colchetes, são dadas as páginas da presente edição. (N. E. R. A.)

3. A extinção do parlamentarismo[35]: p. 24 [68].

4. A organização da unidade da nação[36]: p. 29 [74].

5. Extinção do Estado "parasita"[37]: p. 32 [77].

6. Forma política "enfim descoberta" para a passagem para o socialismo.

4.

Esboço do plano do Capítulo III

Etwa:

Capítulo III.

1. Em que o *Manifesto Comunista* está ultrapassado?

2. Análise do significado da Comuna. Marx[38].

---

35 No manuscrito original, está escrito assim: "3. Não o parlamentarismo, mas uma instituição de trabalhadores". (N. E. R.).

36 No manuscrito original, está escrito assim: "Como organizar a unidade da nação". (N. E. R.).

37 No manuscrito original, está escrito assim: "Abaixo o Estado parasita". (N. E. R.).

38 Os pontos 1 e 2 foram eliminados por Lênin. (N. E. R.).

6.
Materiais para o Capítulo IV do livro

1
Plano do Capítulo IV

Capítulo IV.
　　1. Engels 1872.
　　2. Engels 1873 e Marx.
　　3. Engels 1875.
Ditadura do proletariado. Diferença do anarquismo.
A Comuna não foi um "Estado em sentido próprio"[39].
　　4. Engels 1891.

Capítulo IV.
　　§ 4.
　　Engels 1891. **Crítica aos programas.**
　　§ 4. Crítica ao projeto do programa de Erfurt.
　　§ 5. Engels 1891, prefácio.
　　§ 6. Engels 1894: *contra a democracia.*

2
Resumo das citações do trabalho de F. Engels
Sobre a questão da moradia
Engels 1872
　　1) expropriação das casas e apartamentos.
　　2) "remediar de imediato"[40]
　　3) aluguel permanece
　　4) ditadura do proletariado
　　5) "definhamento e morte do Estado"

39　"Friedrich Engels a August Bebel", cit., p. 51-9.

40　Friedrich Engels, *Sobre a questão da moradia* (trad. Nélio Schneider, São Paulo, Boitempo, 2011), p. 56.

7
Planos do Capítulo VII (Não escrito)
1

1. A nova "arte popular" na Revolução Russa: os Sovietes.
2. Lições de 1905.
3. As vésperas da Revolução de 1917. Teses de 1915.
4. A experiência da Revolução em 1917. Os sovietes e seu papel. III-IV. Inícios e perspectivas.
5. Prostituição dos Sovietes pelos mencheviques e socialistas-revolucionários. O declínio dos Sovietes. V-VIII. Declínio.
6. Kornilovschina[41]. IX A traição dos dirigentes do 1º alistamento.

Capítulo VII, *A experiência das Revoluções Russas de 1905 e 1917*:

p. 85[42]

{1. A nova "arte popular" na Revolução.   Etwa: ou Σ
2. Lições de 1905 (Resoluções dos mencheviques e dos bolcheviques em 1906).}
3. As vésperas da Revolução de 1917: tese X. 1915.
4. Experiência de 1917. Levante popular. Sovietes. (Das proporções e das fraquezas da dependência pequeno-burguesa.)

---

41 Trata-se do fracassado levante contrarrevolucionário da burguesia e dos proprietários de terra em agosto de 1917. Seu principal líder foi o supremo comandante do Exército, o general tsarista Lavr Kornílov. (N. E. R. A.)

42 Do manuscrito. (N. E.)

5. A prostituição dos Sovietes pelos SRs e pelos mencheviques:

milícia, povo armado

departamento de guerra. *"Departamentos"*

departamento de economia.

exame de 3-5. VII

"independência" dos poderes das organizações partidárias.

6. Kornilovschina.

Dissociação de mencheviques e SRs.

Fraudes. 14-19. IX.[43]

<ou fica para a conclusão?>

7. "Messianismo". Por quem começar?

---

43 Refere-se à Reunião Democrática de Toda a Rússia, convocada pelos mencheviques e SRs do Comitê Executivo Central dos Sovietes para decidir a questão do poder, e que teve lugar de 14 a 22 de setembro (27 de setembro a 5 de outubro) de 1917 em Petrogrado. (N. E. R. A.)

8
Sumário do livro

O título deve ser: *O Estado e a revolução*.
Subtítulo: "Estudo do marxismo sobre o Estado e as tarefas do proletariado na Revolução".

Original:

Prefácio: (p. 1) [23][44]
Ou assim:

Capítulo I – (p. 2) [25]
§1. O Estado, um produto do caráter inconciliável das contradições de classe...
p. 2

(p. 2) Capítulo I
A sociedade de classes e o Estado[45].

[Uma das fontes das distorções oportunistas do marxismo é *"definhamento e morte"*: Isso = "sociologia"[46].]

§2. Destacamentos especiais de "pessoas armadas", presídios, e assim por diante. p. 3 [31] *in finem*.
§3 O Estado[47]: um instrumento de exploração da classe oprimida. p. 5 [34].
§4. O "definhamento" do Estado e a revolução violenta: p. 8-11 [38].

Capítulo II. O Estado e a revolução. A experiência dos anos 1848-1851. p. 11-18 [45-55].

Capítulo II.
Desenvolvimento histórico <u>concreto</u> <u>do estudo de Marx e Engels sobre o Estado.</u>

<u>I. Experiência 1848--1852.</u>
{Política concreta das tarefas da *revolução*}

---

44 A paginação refere-se ao manuscrito de *O Estado e a revolução*. Entre colchetes, são dadas as páginas da presente edição. (N. E.)

45 No manuscrito original está escrito assim: "O Estado na pré-sociedade de classes e na sociedade de classes". (N. E. R.)

46 No manuscrito, o texto em questão está riscado em cruz. (N. E. R.)

47 No manuscrito, mais adiante, lê-se a palavra sublinhada: "e a bolsa de valores". (N. E. R.).

1. Às vésperas da revolução: p. 11 [45].

2. Os balanços da revolução: p. 14 [49].

{"O Estado é o proletariado organizado como classe dominante". É necessário *quebrar* a máquina do Estado.}

Cap. III. Continuação. II. Experiência da Comuna de Paris.

Capítulo III. O Estado e a revolução

Experiência da Comuna de Paris. **A análise de Marx**, p. 18-34 [59-79].

§§ 1. Em que consiste o heroísmo da experiência dos *communards*? – p. 18 [59].

pode ser II. α. Marx (1871) *und* 1873. (1872: *Marx und Engels*). ? II. β. Engels 1872, 1873, 1875.

2. Pelo que substituir a máquina quebrada do Estado? – p. 21 [64].

3. A extinção do parlamentarismo: p. 24 [68].

4. A organização da unidade da nação: p. 29 [74].

5. A extinção do Estado parasita – p. 32-34 [77-79].

6.

Capítulo IV. O Estado e revolução.

Capítulo IV. Continuação. Para mais explicações de Engels... p. 34-52 [81-107].

1. *A questão da moradia...* p. 34 [81].

2. A polêmica com os anarquistas... p. 36 [84].

3. Carta a Bebel: p. 39 [88].

(p. 39).

< +39 *a, b, c*>

III. Balanços, resumos de Engels nos anos [18]90. Mais explicações.

4. A crítica do projeto do Programa de Erfurt. p. 40-46 [91- 98].

5. O prefácio de 1891 à *Guerra civil* de Marx: p. 46-50 [98-104].

6. Engels sobre a "superação" da democracia: p. 50-52 [104-107].

Capítulo V. As condições econômicas do definhamento do Estado. p. **52**. [109]. p. **52-70** [109-127].

1. <p. 53>. A explanação de Marx p. 53 [109].
2. A transição do capitalismo para o comunismo: p. 55 [112].
3. A primeira[48] fase da sociedade comunista: p. 59 [117].
4. A fase superior: p. 63-70 [120-127].

<Capítulo V. Condições econômicas do definhamento e morte (extinção) do Estado.>

Capítulo VI. A vulgarização do marxismo pelos oportunistas: p. 70-**84** [129-148].

1. A polêmica de Plekhánov com os anarquistas: p. 70-71 [129-130].
2. Polêmica de Kautsky com os oportunistas: p. 71-76 [131-138].
3. Polêmica de Kautsky com Pannekoek: p. 76-84 [138-148].

Capítulo VII. A experiência das revoluções russas dos anos de 1905 e 1917: p. 85-[148-]

Imprime-se conforme os manuscritos.

Escrito em julho--setembro de 1917. Primeira impressão incompleta em 1931 na revista Bolchevik, n. 17. Primeira impressão completa em 1933 na coleção Lênin XXI.

---

48 No manuscrito original está escrito "baixa". (N. E. R.).

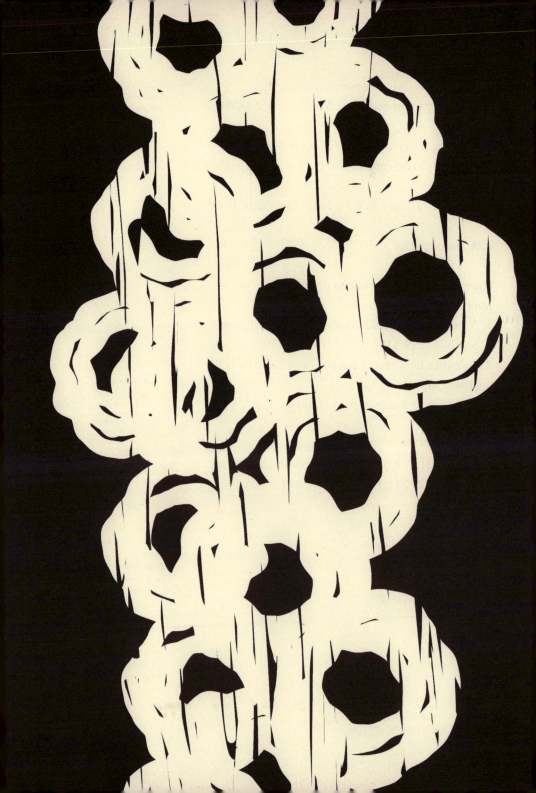

PLANOS PARA O ARTIGO NÃO ESCRITO
"SOBRE A QUESTÃO DO PAPEL DO ESTADO"

1
Notas ao artigo de Bukhárin "Para uma teoria do Estado imperialista"[1]

Notas ao artigo de Bukhárin   ‖ NB

("Para uma teoria do Estado imperialista")
Para uma teoria do Estado imperialista
            ?   (4)   ‖

"A teoria sociológica do Estado": o marxismo lhe   ‖
confere... (?)
                       ?

"... Estado = organização mais *geral* das classes   ‖
dominantes"

Loria[2] (7)?

---

1 Da correspondência de Lênin com Zinóviev e Bukhárin pode-se de-
   preender que o último pretendia publicar esse artigo na *Социал-
   -Демократа/ Sotsial-Demokrat*, mas o texto foi recusado pelos editores
   da revista. Os comentários de Lênin foram feitos com base no manuscrito de Bukhárin. O artigo foi publicado no ano seguinte à morte de Lênin.
   Ver Nikolai Ivánovitch Bukhárin, "К теории империалистического
   государства"/ "K teori imperialistitcheskogo gossudarstva", na revista
   Революция Права/ Revoliútsia Prava, Moscou, 1925. (N. E. R. A.)

2 Trata-se do livro de Achille Loria *Les Bases économiques de la constitui-
   tion sociale* (Paris, Félix Alcan, 1903), ao qual Bukhárin faz referência no
   artigo. (N. E. R.)

O ESTADO E A REVOLUÇÃO

impreciso
("*in der Regel*"[4])
compare p. 178:
6. Auflage

p. 7[3] – citação de Engels (p. 137. 3. *Auflage* [edição]
1889
p. 180. 6. *Auflage*)   (α)

(β) *Niederhaltung* não é escravização, mas retenção
em sujeição...

(γ) *Ausnahmsweise*[5] alguns casos...
{p. 11 – citação de Engels (3. *Auflage*, p. 135 =
p. 177. 6. *Auflage*)[6].
Engels em *Neue Zeit*, XXXII, 1, p. 32 (?)
(*Dell'Autorità*[7])}.

p. 13: Estado "definha e morre" (e mais detalhes?).
p. 14: "tipo diferente" (impreciso)... p. 14: Estado =
"expressão política de uma estrutura socioeconômica
ampla (abrangente?)" (???)

p. 15-16: diferenças entre marxistas e anarquistas na
questão do Estado *estão incorretas* (conferir *Anti-
-Dühring*, 3. *Auflage,* p. 303)

> Sobre o capitalismo de Estado. Interessante.
> *Legalmente*, na realidade.

---

3   A paginação é relativa ao manuscrito original de Bukhárin. (N. E. R. A.)

4   "De modo geral". (N. E. R.)

5   "Exceto". (N. E. R.)

6   Lênin coteja as citações de Bukhárin a partir da 3ª edição de *A origem da
família, da propriedade privada e do Estado*, de Engels, com a 6ª edição
da obra. Ele aponta que o artigo de Bukhárin tem traduções incompletas
e imprecisas dessas citações. (N. E. R.)

7   Friedrich Engels, "Da autoridade", cit.

p. 53. "A partir daqui uma exigência tática clara: *a social-democracia deve frisar enfaticamente sua animosidade, em princípio, em relação ao poder do Estado".* (O itálico é de Bukhárin, p. 53)... (Votar contra o orçamento etc.).

‖ NB

No final (p. 54-55), é mencionado que o proletariado "cria sua organização **estatal** provisória **do poder**" (*unklar*[8]: "organização estatal do poder" poder sobre quem? sobre *a sociedade* como um todo? poder *sobre* a sociedade e há um poder *estatal*. Pleonasmo. Tautologia)... o proletariado "revoga sua própria ditadura", "colocando de uma vez por todas a última pá de terra na cova do Estado..." (última frase do artigo).

‖ ?

Escrito o mais tardar em agosto de 1916.
Primeira publicação em 1931 na revista Bolchevik, *n. 22.*
Imprime-se conforme os manuscritos.

---

8   "Pouco claro". (N. E. R.)

2
Plano do artigo "Sobre a questão do papel do Estado"

A questão do papel do Estado
Comunista ou social-democrata?
Socialismo e comunismo. (A completa comunidade dos bens de consumo ou ainda a *obrigatoriedade deles*.)
A democracia também tem Estado. *Absterben*[9]...
"Definhamento e morte" do Estado.
Por que não *Abschaffung* nem *Sprengung*?[10]
"*Allmähliches Einschlafen*"[11] de uma função após outra
Sem democracia = sem participação das pessoas.
"Raízes do Estado na alma dos trabalhadores"[12]?
Oportunismo e social-democracia revolucionária.
Ditadura do proletariado.
{Uso do Estado contra a burguesia.
Resistência à sua tentativa de restauração
Guerras revolucionárias
Introdução e defesa da democracia.}
O papel da democracia:
A educação das massas
Sua tradução para o novo sistema
Forma da revolução soc.: alianças do ano de 1905.

---

9 "Deperecer", "extinguir-se". (N. E.)

10 "Por que não 'supressão' nem 'explosão'?". (N. E.)

11 "Adormecimento gradual". (N. E.)

12 Expressão usada por Bukhárin no artigo "Der imperialistische Raubs-taat" [O Estado imperialista predatório], publicado sob o pseudônimo Nota-Bene em *Jugend-Internationale*, n. 6, 1 dez. 1916, p. 7-9, e repu-blicado com alterações em *Arbeiterpolitik*, n. 25, Bremen, 9 dez. 1916. Lênin fez duras críticas a esse texto. (N. E.)

Imperialismo: Estado e organizações econômicas
capitalistas. "Trustes estatais-capitalistas"...
Reformas democráticas dos imperialistas e a
revolução soc. Marx em 1844 ("Nachlaß", II. Band,
S. 50, final do penúltimo parágrafo[13]).
<Nada além da contraposição de socialismo e política.
Contra o puro radicalismo político de Ruge[14]. Até
1847!>
Engels (*"Dell'Autorità"*) sobre a revolução... (+)
                sobre a organização... (+)
Marx (*ebenda* [op. cit.]) (*Neue Zeit*, 32, I, 1913-1914)
sobre o impacto político e a luta pelas **concessões**,
sobre o uso revolucionário do poder do Estado...[15]

{Duas orientações na *política* (política é parte dos
negócios do *Estado*, orientação do Estado, definição
de formas, tarefas, conteúdo das ações do Estado),
oportunista e revolucionária, ou duas orientações em
relação ao "Estado"?}

---

13 Karl Marx, "Kritische Randglossen zu dem Artikel 'Der König von Preußen
und die Sozialreform. Von einem Preußen'", compilado em *Aus dem lite-
rarischen Nachlaß* (Stuttgart, Dietz, 1913), v. 2 [ed. bras.: "Glosas críticas
marginais ao artigo 'O rei da Prússia e a reforma social, de um prussiano'",
trad. Ivo Tonet, em *Revista Praxis*, n. 5, Belo Horizonte, 1995]. (N. E.)

14 Referência a Arnold Ruge, com quem o jovem Marx havia publicado,
em 1844, o *Deutsch-Französische Jahrbücher*. Naquele mesmo ano, ele e
Marx rompem após este se declarar comunista. Ruge é o "prussiano" do
artigo glosado por Marx. (N. E.)

15 Karl Marx, "Der politische Indifferentismus", cit.

{Democracia dos reformistas e democracia da revolução. Dois conteúdos diferentes: minoria e massa. Pacificação das massas? colaboração para a luta das massas? Submissão das massas à autoridade do chefe? revolta contra os líderes? As "massas subalternas", segundo Engels, *versus* "massa" *pelos* líderes oportunistas. Reduz-se a revolução *versus* oportunismo.}

Escrito não antes de 18 de novembro (1º de dezembro) de 1916.
Primeira publicação em 1933, na coleção Ленин XXI/ Lênin XXI.
Imprime-se conforme os manuscritos.

3
A Internacional da Juventude[16]
(uma nota)

Está sendo publicado com este título, na Suíça, desde 1º de setembro de 1915, em alemão, o "órgão de propaganda e luta da União Internacional das Organizações Socialistas da Juventude". Ao todo, já saíram seis números dessa publicação, sobre a qual é preciso tecer observações gerais e, em seguida, recomendar enfaticamente atenção a todos os membros de nosso partido.

A maioria dos partidos oficiais da social-democracia da Europa está agora na posição do social-chauvinismo e do oportunismo mais baixo e infame. Tais partidos são o alemão, o francês, o fabiano, o "trabalhista" na Inglaterra, o sueco, o holandês (o partido de [Pieter Jelles] Troelstra), o dinamarquês, o austríaco, entre outros. No partido suíço, a despeito da cisão (para o grande bem do movimento operário) dos oportunistas extremos na "Sociedade do Grütli", restaram, no interior do próprio partido social-democrata, inúmeros oportunistas e sociais-chauvinistas e kautskistas, cujos líderes têm *enorme* influência nos negócios do partido.

No estado de coisas em que se encontra a Europa, a união de organizações socialistas da juventude é uma enorme e grata – ainda que difícil – tarefa para o internacionalismo revolucionário, para o verdadeiro socialismo, contra o oportunismo reinante, que passou

---

16 Referência à *Jugend-Internationale*, publicação socialista em língua alemã. No original, Lênin traduziu o título para o russo. (N. E.)

para o lado do imperialismo burguês. Em *A Internacional da Juventude*, foi publicada uma série de bons artigos em defesa do internacionalismo revolucionário, e a edição inteira está imbuída de um magnífico espírito de ódio fervoroso aos traidores do socialismo, "os defensores da pátria" na presente guerra, com o mais sincero desejo de que o movimento operário internacional se purifique do chauvinismo e do oportunismo corrosivos.

Naturalmente, o órgão da juventude *ainda* não tem clareza e solidez teóricas, e talvez nunca venha a ter, justamente porque se trata de um órgão da juventude impetuosa, efervescente, ansiosa. Mas é preciso tratar a falta de clareza teórica *de tais* pessoas de um modo diferente do qual tratamos – e devemos tratar – o caldo teórico nas cabeças e a ausência da ordem revolucionária nos corações de nossos "okistas"[17], "socialistas--revolucionários", tolstoístas, anarquistas, os kautskistas de toda a Europa (de "centro") etc. Uma coisa são os adultos que se impõem ao proletariado com confusões e que pretendem conduzir e ensinar os outros: é fundamental uma luta *inclemente* contra eles. Outra coisa são as organizações da *juventude*, que declaram abertamente que ainda estão estudando, que seu objetivo principal é preparar os trabalhadores para os partidos socialistas. Essas pessoas precisam de toda ajuda, é preciso ser o mais paciente possível com seus erros, tentar corrigi-los paulatinamente, por meio, principalmente,

---

17 Corrente menchevique agrupada no Comitê de Organização (OK, na sigla para Организационный комитет/ *Organizatsionni komitet*), após seus membros terem sido expulsos do POSDR em 1912 em razão da pouca resistência ao tsarismo e da defesa da conciliação com a burguesia. (N. E.)

da *persuasão*, e não do combate. Não raro acontece de os representantes das gerações das pessoas de meia-idade e idosas *não saberem* abordar a juventude, como proceder em relação a ela, a qual, por necessidade, é levada a se aproximar do socialismo *de modo distinto*, não *por aqueles* caminhos, *não daquela forma, não naquele* ambiente de seus pais. Por isso, entre outras coisas, devemos nos colocar incondicionalmente ao lado *da organização independente* da união da juventude, *e não apenas* porque os oportunistas temem tal independência, mas também pela essência da coisa. Isso porque, sem completa independência, a juventude *não poderá* nem formar bons socialistas, nem se preparar para levar o socialismo *adiante*.

Por uma completa independência das uniões da juventude, mas também pela completa liberdade de uma crítica camarada aos erros! Devemos estimular a juventude.

Entre os erros do magnífico órgão que nos chamaram a atenção, estão, em primeiro lugar, estes três:

1) A posição incorreta sobre o desarmamento (ou "desarme"), que criticamos anteriormente, em artigo próprio[18]. Há bases para se pensar que os erros resultam unicamente do bom desejo de destacar a necessidade da "completa extinção do militarismo" (o que está perfeitamente certo), esquecendo-se o papel das guerras civis na revolução socialista.

---

18 Trata-se do artigo "О лозунге 'разоружения'"/ "O lozungue 'razorujénia'" [Sobre o lema do "desarmamento"], publicado originalmente em Сборник Социал-Демократа/ *Sbórnik Sotsial-Demokrata* [Coletânea Social-Democrata], n. 2, dez. 1916. Em Сочинения/ *Sotchinénia* [Obras], 5. ed., v. 30, p. 151-62. (N. E. R. A.)

2) Sobre a questão da diferença entre socialistas e anarquistas em sua relação com o Estado no artigo do camarada Nota-Bene[19] (n. 6), um enorme erro foi cometido (assim como sobre algumas outras questões, por exemplo, a *motivação* de nossa luta contra o lema da "defesa da pátria"). O autor pretende oferecer "uma apresentação clara do Estado em geral" (ao lado da apresentação do Estado imperialista predatório). Ele cita algumas afirmações de Marx e Engels, e chega, entre outras coisas, a estas duas conclusões:

a) "[...] Está absolutamente errado procurar a diferença entre o socialismo e o anarquismo no fato de que os primeiros são pró e os segundos, contra o Estado. A diferença, na verdade, encerra-se no fato de que a revolução social-democrata quer organizar uma nova forma de produção social, como que centralizada, ou seja, mais progressista tecnicamente, enquanto a produção anarquista descentralizada significa apenas um passo para trás, em direção a uma técnica antiga, a uma forma antiga de empresa." Isso está incorreto. O autor coloca a questão de qual é a diferença da relação de socialistas e anarquistas com o Estado, e responde *não* esta, mas *outra* questão, sobre a diferença da relação deles com as bases econômicas da sociedade futura. Essa é uma questão importante e imprescindível, claro. Mas disso não resulta que se possa esquecer a *principal* diferença entre socialistas e anarquistas em relação ao

---

19 Pseudônimo usado por Bukhárin para assinar o artigo "Der imperialistische Raubstaat". Ver p. 180 deste volume, nota 12. (N. E.)

Estado. Os socialistas defendem o uso do Estado contemporâneo e de suas instituições na luta pela emancipação da classe trabalhadora, e, da mesma maneira, a necessidade de usar o Estado para uma forma específica de passagem do capitalismo para o socialismo. Essa forma, que *também* é Estado, é a ditadura do proletariado.

Os anarquistas querem "abolir" o Estado, "explodi-lo" ("*sprengen*"), como afirma em uma passagem o camarada Nota-Bene, atribuindo erroneamente esse ponto de vista aos socialistas. Os socialistas – o autor infelizmente citou aqui as pertinentes palavras de Engels de forma muito incompleta – reconhecem o "definhamento", o "adormecimento" gradual do Estado *após* a expropriação da burguesia.

b) "Para a social-democracia, que é, ou pelo menos deve ser, educadora das massas, mais do que nunca é fundamental sublinhar sua principal hostilidade em relação ao Estado [...]. A atual guerra mostra como as raízes do Estado estão profundamente fincadas na alma dos trabalhadores". Assim escreve o camarada Nota-Bene. Para "sublinhar" a "principal hostilidade" em relação ao Estado, é preciso entendê-la de modo realmente "claro", e o que falta ao autor é, exatamente, clareza. A frase sobre as "raízes do Estado" já está completamente confusa, não é marxista e não é socialista. Não é o "Estado" que se confronta com a negação do Estado: é a política oportunista (ou seja, a atitude oportunista, reformista, burguesa em relação ao Estado) que se confronta com a política social-democrata revolucionária (ou seja, com a atitude social-democrata revolucionária em relação ao Estado burguês e o uso do Estado contra a burguesia para derrubá-la). Essas são coisas completamente, completamente diferentes. A essa questão extremamente importante esperamos responder em artigo especial[20].

3) Na "declaração de princípios da União Internacional das Organizações Socialistas da Juventude", publicada no n. 6 como "projeto do secretariado", não são poucos os equívocos, e o aspecto *principal* está completamente ausente: a comparação clara daquelas *três* tendências fundamentais (social-chauvinista, "centro" e esquerda) que se combatem agora no socialismo de todo o mundo.

Mais uma vez: é preciso refutar e esclarecer esses erros, com todas as forças buscar o contato e aproximar-se das organizações da juventude, prestando-lhes toda a ajuda, mas é preciso chegar até elas *com habilidade.*

Impresso em dezembro de 1916 na Сборник Социал-Демократа/ Sbórnik Sotsial-Demokrata *[Coletânea Social-Democrata], n. 2.*
Assinatura: N. Lênin.
Impresso de acordo com o texto da revista.

---

20 Trata-se, justamente, de "Sobre a questão do papel do Estado", nunca escrito, cujos planos se encontram na p. 175 deste volume. (N. E.)

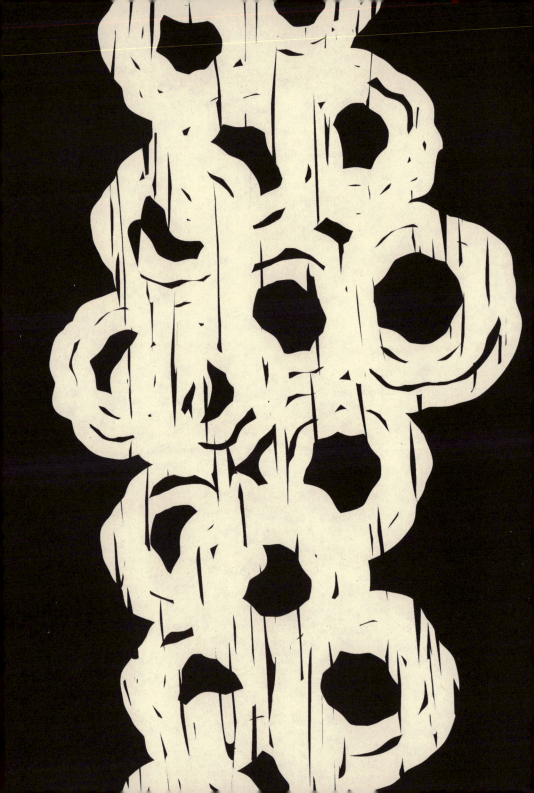

POSFÁCIO À EDIÇÃO BRASILEIRA
LÊNIN: UNIDADE E COERÊNCIA DO PENSAR E AGIR

*Maria Angélica Borges**

Ler *O Estado e a revolução* de Vladímir Ilitch Lênin é, além de entrar em contato com um autor e seu texto, conhecer um tema e um ator revolucionários e atuais. Como Karl Marx, Lênin analisou como totalidade seu momento histórico e as várias situações vividas na teoria e na prática, na ciência e na política, a partir das leis de tendência do movimento histórico. A leitura dos escritos leninianos, assim como a história conjunta de suas ações e reflexões, entusiasma e nos reanima diante das ações cotidianas.

Dadas as derrotas impostas pelo capital financeiro aos trabalhadores do globo no século XX, beber nas águas desse político e intelectual que transformou ideias em atos alimenta as expectativas de mudança do real, principalmente para as novas gerações. Os mais jovens nasceram em meio à crise estrutural do capitalismo monopolista, quando as ilusões do *welfare state keynesiano* – sempre denunciadas pela economia política crítica marxiana – já tinham feito água. O delírio reformista da social-democracia de que é possível disciplinar os bancos, fortalecer o capital produtivo e socializar os resultados para a sociedade civil já faz parte do passado. Mas, como lembrou Marx, "o morto tolhe o vivo". Os velhos paradigmas ainda nos comem pelas pernas.

Lênin mostrou, já em sua época, a falácia da terceira via. Esse arcabouço arcaico assume roupa nova sob o neoliberalismo, mas é impossível esconder

---

* Professora titular do Departamento de Economia da Faculdade de Economia, Administração, Ciências Contábeis e Atuariais da Pontifícia Universidade Católica de São Paulo (FEA-PUC-SP).

os remendos de um tecido surrado. É impossível superar, nesse sistema, a exploração do homem pelo homem, substituir a luta de classes pela colaboração entre elas. Tanto o líder bolchevique como o filósofo germânico e seu amigo Engels relembram que o Estado nasce com o surgimento das classes sociais para mediá-las e impedir a autodestruição do ser social. A organização gentílica, o comunismo primitivo, transforma-se em modo de produção escravista, com a instituição da propriedade privada, da herança e do direito paterno. O escravo foi a primeira forma da propriedade privada: a propriedade privada móvel. Troféu de guerra introduzido no seio da tribo vencedora, cria a oposição homem livre *versus* homem subjugado. Os modos de produção asiático ou hidráulico, escravista, feudal e capitalista formam a pré-história da humanidade a caminho do comunismo. Entender essa trajetória é preparar sua superação. A arma das ideias é a forma de viabilizar sua lógica em ação.

O pensar é um imperativo do agir. Não há lugar para transformação social sem prévia-ideação do chão social que faz nascer as ideias. Teleologia e causalidade formam um par na dialética materialista, e Lukács é um mestre em sua elucidação a partir da ontologia do ser social. O ser humano age sobre a natureza em cooperação com seus semelhantes, transformando o ser da natureza e o ser social. A natureza é o corpo inorgânico e orgânico do homem, e a objetivação do ser humano por meio do trabalho ocorre nas posições primária e secundária, na produção da vida e das ideias. A ontologia lukacsiana é uma lanterna que clareia nosso olhar sobre a vida do escritor russo.

Cotejando as palavras de György Lukács em seus escritos intitulados *Lênin: um estudo sobre a unidade de seu pensamento*[1], percebe-se que o demiurgo da Revolução de Outubro não isola os eventos, mas os generaliza e os reconduz à realidade, levando a conclusões que são, até hoje, contribuições e ensinamentos para a ação política. Para Lukács, Lênin representa a renovação da dialética a partir do materialismo consequente e a luta contra o irracionalismo presente no imperialismo. Logo, não é possível a neutralidade

---

1 Trad. Rubens Enderle, São Paulo, Boitempo, 2012.

axiológica à maneira weberiana, pois os fatos históricos e os temas filosóficos estão entrelaçados nas angulações de classe. É impossível ser revolucionário ignorando as teses marxianas.

Kautsky, entre outros membros da Segunda Internacional dos Trabalhadores, não escapou da mira leniniana ao tratar das concepções de democracia e ditadura. Estas duas formas do poder não são excludentes: a ditadura do proletariado é a democracia como forma de garantir os interesses dos trabalhadores. A democracia dos capitalistas é a ditadura sobre a força de trabalho. Contra o dirigente da social-democracia alemã, Lênin desmonta o superimperialismo, que separa o Estado da economia. Divórcio, aliás, presente tanto na visão econômica ortodoxa neoclássica como na política neoliberal. O neoliberalismo isola a economia como racional, movida por leis naturais e eternas, e trata a política como irracional, lugar das mazelas humanas. Inveja, cobiça, guerras de conquista são os demônios que borram a pureza da economia de mercado, que, se deixada em seu livre jogo, só conheceria o equilíbrio. O capitalismo é salvo pela economia natural e o ser humano, crucificado em sua ganância. Justifica-se o sistema econômico e condena-se a humanidade. No entanto, os escritos marxianos já revelaram que a política é o outro nome da economia. É o lócus onde os interesses privados da classe dominante se tornam lei. O particular se transforma em universal.

Estamos diante de um teórico continuador de Marx. Como nos ensina Lukács, é muito raro que um líder reúna duas habilidades que Lênin possui: o domínio da teoria científica e da prática política. Sua análise sobre o Estado e a revolução é um exemplo peculiar disso. Esses fenômenos são compreendidos seguindo o rastro das teses clássicas marxianas e acabam por ilustrar, por meio da análise imanente, os textos mais significativos dos fundadores da crítica do modo de produção capitalista. Ao mesmo tempo, Lênin escreveu essas páginas no calor do conflito neocolonial, depois conhecido como Primeira Guerra Mundial, e interrompeu a elaboração delas para fazer a revolução. Fica nítida a congruência de sua concepção do Estado e da visão do marxismo na matriz fundante do pensamento e da ação leninianos.

O Estado e a revolução mostra como esse entendimento se aprofundou conforme Marx amadureceu e o movimento operário cresceu e se tornou mais rico em experiências. Marx teve a paciência histórica de teorizar o real segundo sua lógica imanente. O objeto investigado se revela ao investigador em toda sua riqueza à medida que a pena do mestre avança em sua captura. As categorias são expressões da existência. O cérebro humano reflete sobre o realmente existente. O ser inorgânico se transforma no ser orgânico, que, em seu salto ontológico, se transforma no ser social. É a construção da liberdade como a consciência da necessidade. A novidade da revelação concreta é que o sujeito investigador parte da aparência e chega à essência, e, mediante a análise histórica da alteridade aparência/essência, estabelece a síntese. Nessa dialética das análises concretas de situações concretas, Marx retira a mudez do singular por meio do universal e o concretiza na particularidade. As categorias fantasmagóricas, enroladas em um véu de fumaça, têm o seu significado decifrado. Por detrás de suas máscaras, são reveladas formas antediluvianas como dinheiro, capital, trabalho, força de trabalho.

As experiências das lutas e revoluções – a práxis – desenvolvem e tornam robusta a visão sobre o Estado como um órgão do capital para a opressão e o controle sobre o mundo do trabalho. Será, por exemplo, com as revoluções de 1848 e com a culminação da Guerra Franco-Prussiana na Comuna de Paris que os vários temas e tarefas do cotidiano da luta de classes ganharão substância. A visão negativa da política, para além do acanhado anarquismo, coloca a destruição do Estado acima dos demais argumentos – uma eliminação necessária, mas que não ocorre da noite para o dia e deve ocorrer por meio do próprio Estado. Lênin rejeita as visões oportunistas que defendem a conciliação das classes e, portanto, a perpetuação dos órgãos de dominação. Como o silêncio não é mais possível diante da força desse ideário, a deturpação passa a ser uma arma das correntes reformistas e chauvinistas contra o pensamento crítico.

Portanto, publicar a obra de Lênin cumpre o papel de levar a público uma visão clara dos clássicos do marxismo, desmascarando as deformações de suas ideias. Esta publicação ocorre em uma hora muito oportuna e nos remete ao desembarque de Lênin em solo russo, às vésperas da Revolução de 1917, mudando conceitos e revendo categorias analíticas, virando as concepções sobre a transição de cabeça para baixo. E mais, gera o clima propício para o ataque às grosseiras e ingênuas visões da superação do lócus de organização do mundo do trabalho, como a fábrica de ilusões que considera o *blog* substituto de partido e sindicatos e atribui poder absoluto às redes sociais. Lênin ridicularizou o espontaneísmo político, o poder destruidor da massa e a violência sem rumo nem direção. Prévia-ideação e ação devem ser planejadas. Lideranças precisam ser construídas. Quadros precisam ser formados. Realidades novas podem e devem ser pensadas à luz da teoria revolucionária. O arcabouço marxiano deve ser lido não como dogma, mas como ontologia do ser social, que nos abraça e nos alimenta para novas passadas à luz das especificidades do século XXI.

Vivemos uma longa noite, com tantas derrotas dos explorados pelo capital. Por isso mesmo precisamos nos preparar para as grandes transformações que virão. Nenhum poder foi, é ou será absoluto. A palavra de ordem não é praticar o esporte de fazer revoluções, e sim aprender com o passado, agir no presente segundo suas condições e sonhar com o futuro deixando de lado previsões irrealistas e abraçando análises concretas de situações concretas. Lênin aprendeu com Marx que não existem receitas e que às vezes damos um passo atrás para dar dois à frente. A informática é ferramenta, mas a organização é dos homens, dos líderes, dos partidos revolucionários. Não basta mudar os conceitos sem mudar a realidade. A multidão vista de forma abstrata não constrói o futuro e não informa como funciona o presente. Quimeras que namoram o niilismo. Espontaneísmo *versus* organização. Esse movimento pendular entre euforia e depressão é há muito conhecido e criticado por Marx, Engels, Lênin, Lukács e tantos outros teóricos e militantes que lutam pela emancipação humana.

Se fosse possível, num estalar de dedos, determinar o fim do capitalismo e ordenar a passagem mágica para o comunismo, deixando para trás o reino da necessidade e mergulhando no reino da liberdade, a aparência coincidiria com a essência e toda ciência seria supérflua[2]. Mas não é assim. Por isso, mais do que nunca, e principalmente para as novas gerações, os

---

2 Karl Marx, *O capital: crítica da economia política*, Livro III: *O processo global da produção capitalista* (trad. Rubens Enderle, São Paulo, Boitempo, 2017).

clássicos do marxismo são necessários. E, se Lênin é um companheiro nesta caminhada, sua obra é um farol que nos ajuda na travessia – com sua coesão, sua fidelidade aos fundadores do materialismo dialético, sua consciência dos limites da ação, seu destemor diante de passos ousados, sua firmeza diante da tarefa de guiar os camaradas, sua denúncia dos que se venderam por um prato de lentilhas. Falar e escrever sobre Lênin é falar da continuação da obra e da liderança de Marx.

Por esses e outros motivos, estar com *O Estado e a revolução* entre as mãos é necessário e estimulante. Aproveite a leitura.

São Paulo, agosto de 2017.

ÍNDICE ONOMÁSTICO[1]

Avkséntiev, Nikolai Dmítrievitch (1878-1943): dirigente socialista-revolucionário. Em 1917, tornou-se presidente do Soviete de Deputados Camponeses de Toda a Rússia e ministro do Interior do governo provisório. Durante a guerra civil, tomou o lado contrarrevolucionário. Depois, exilou-se. p. 30n, 70.

Bakúnin, Mikhail Aleksándrovitch (1814-1876): um dos ideólogos do anarquismo. Fez parte da Primeira Internacional, onde se contrapôs frontalmente ao marxismo. Em 1872, foi expulso da Primeira Internacional. p. 76, 90, 130 e n, 144, 209.

Bebel, August (1840-1913): um dos fundadores da social-democracia alemã, foi uma das personalidades mais destacadas do movimento operário internacional. Operário torneiro de profissão, manifestou-se contra o reformismo e o revisionismo. p. 42n, 44n, 88, 90, 109-10, 114, 157-8, 172.

Bernstein, Eduard (1850-1932): destacado dirigente da ala revisionista (dita oportunista) da social-democracia alemã e da Segunda Internacional. Teórico do revisionismo e do reformismo, negava a teoria da luta de classes e a inevitabilidade da queda do capitalismo, da revolução socialista e da ditadura do proletariado. p. 12, 56n, 67, 75-7, 131-3, 137, 141, 143, 157-8.

Bismarck, Otto Eduard Leopold (1815-1898): estadista e diplomata da Prússia e, depois, primeiro chanceler do Império alemão (1871-1890). Conduziu à força a unificação da Alemanha sob a supremacia da Prússia. Em 1878, publicou a lei de exceção contra os socialistas, mas foi malsucedido em debelar

---

1 As notas biográficas foram adaptadas de Vladímir Ilitch Lênin, *Obras escolhidas em seis tomos* (Lisboa/Moscou, Avante!/Progresso, 1984) e *O Estado e a revolução* (Lisboa/Moscou, Avante!/Progresso, 2011). (N. E.)

o movimento operário. Foi um dos principais organizadores da Tríplice Aliança (1882). p. 35, 93n, 104n, 201, 204.

Bissolati, Leonida (1857-1920): um dos fundadores do Partido Socialista Italiano (PSI) e um dos dirigentes de sua ala reformista. Após ser expulso do PSI em 1912 por apoiar a guerra de conquista ítalo-turca, fundou o Partido Social-Reformista. Foi partidário da participação da Itália na Primeira Guerra Mundial ao lado da Entente. p. 48n, 69.

Bonaparte, Luís (Napoleão III) (1808-1873): imperador da França de 1852 a 1870, sobrinho de Napoleão I. Depois que a revolução de 1848 foi reprimida, elegeu-se presidente da república com apoio militar. Em 2 de dezembro de 1852, foi proclamado imperador. p. 101.

Bonaparte (Napoleão I) (1769-1821): imperador da França de 1804 a 1814 e de março a junho de 1815. p. 50, 99n.

Bracke, Wilhelm (1842-1880): um dos principais editores e difusores da literatura partidária na Alemanha, foi um dos organizadores do Partido Social-Democrata Alemão (1869). Pronunciou-se contra os elementos reformistas e anarquistas do partido. p. 88, 109.

Branting, Karl Hjalmar (1860-1925): um dos fundadores e dirigentes do Partido Operário Social-Democrata da Suécia. Durante a Primeira Guerra, assumiu a posição social-chauvinista. Entre 1920 e 1925, foi intermitentemente primeiro-ministro da Suécia e, entre 1921 e 1923, também ministro de Assuntos Exteriores. p. 69, 146.

Brechko-Brechkóvskaia, Ekaterina Konstantínovna (1844-1934): uma das dirigentes do partido socialista-revolucionário, pertencia à ala mais à direita. Apoiou a guerra e, depois da Revolução de Fevereiro de 1917, o governo provisório burguês. Após a Revolução Socialista de Outubro, lutou ativamente contra o poder soviético. A partir de 1919, como exilada branca, defendeu uma nova intervenção no país. p. 23.

Bukhárin, Nikolai Ivánovitch (1888-1938): jornalista político e economista, entrou para o partido bolchevique em 1906. Sua teoria sobre o imperialismo e a ditadura do proletariado conflitava com a de Lênin, o que levou a atritos antes do sucesso da Revolução de Outubro. Integrou o Bureau Político do Comitê Central bolchevique e o Comitê Executivo da Internacional Comunista e foi redator do *Pravda*. Expulso do partido em 1937. p. 11, 177 e n, 178n, 179, 180n, 186n.

Cavaignac, Louis-Eugène (1802-1857): general francês. Quando ministro da Guerra e chefe do poder executivo, dirigiu a repressão da insurreição dos operários de Paris em 1848. p. 99 e n.

Cornelissen, Christian (1864-1942): anarquista holandês que se posicionou como social-chauvinista durante a Primeira Guerra Mundial. p. 123.

David, Eduard (1863-1930): um dos dirigentes da ala revisionista da social--democracia alemã. Em 1919, entrou para o primeiro governo de coalizão da república alemã; em 1919-1920, foi ministro do Interior. Teve uma atitude hostil em relação à União Soviética. p. 23, 69, 146.

De Leon, Daniel (1852-1914): socialista estadunidense nascido em Curaçau, líder do Partido Socialista Trabalhista. Editor do *The People* desde 1892, quis adaptar a revolução e o socialismo marxista à realidade industrial dos Estados Unidos. p. 160n.

Dühring, Eugen (1833-1921): filósofo e economista alemão com interlocução entre alas da social-democracia, tinha concepções filosóficas que misturavam positivismo, materialismo metafísico e idealismo. A crítica mais famosa às concepções de Dühring foi a de Engels, no livro *Anti-Dühring*. p. 39, 42.

Engels, Friedrich (1820-1925): um dos fundadores do comunismo científico, ao lado de seu amigo e companheiro de luta Marx, com quem elaborou o materialismo dialético e histórico. p. 16-8, 24, 28 e n, 31 e n, 32-46, 52, 54 e n, 56, 60, 64, 81, 83-107, 109-10, 112, 114, 121, 123, 130, 133-4, 136, 141, 153-9, 161-3, 168, 171-2, 178, 181-2, 186-7, 192, 195, 200-2, 205-6, 210.

Grave, Jean (1854-1939): ex-socialista, teórico francês do anarquismo, ao qual aderiu ao conhecer a obra de Kropótkin. Foi defensor do envolvimento da França na Primeira Guerra Mundial. p. 123.

Gué, Aleksandr I. (?-1919): anarquista russo. Depois da Revolução Socialista de Outubro, foi partidário do poder soviético e integrou o Comitê Executivo Central dos Sovietes (CECR). p. 123.

Guesde, Jules (Basile, Mathieu) (1845-1922): um dos dirigentes do movimento socialista francês e da Segunda Internacional. Embora tenha se pronunciado contra a política dos socialistas de direita e em favor do marxismo, tomou uma posição social-chauvinista na Primeira Guerra e entrou para o governo burguês. p. 23.

Hegel, Georg Wilhelm Friedrich (1770-1831): grande representante da filosofia alemã, elaborou profundamente, numa base idealista, a doutrina do desenvolvimento dialético. p. 28 e n., 213.

Henderson, Arthur (1863-1935): destacada personalidade do movimento sindical inglês; dirigente do Partido Trabalhista da Grã-Bretanha, do qual foi secretário entre 1911 e 1934. De 1915 a 1931, integrou várias vezes o governo da Inglaterra. p. 69.

Hyndman, Henry Mayers (1842-1921): um dos organizadores do Partido Socialista Britânico. Em 1916, depois de um congresso do partido condenar suas posições, saiu da agremiação. Aprovou a intervenção antissoviética. p. 23.

Jaurès, Jean (1859-1914): historiador e diretor do jornal *L'Humanité*, destacada personalidade do movimento socialista francês e internacional. Foi um dos fundadores do Partido Socialista Francês, que em 1905 se uniu com o Partido Socialista da França para formar a Seção Francesa da Internacional Operária (SFIO). Encabeçou a ala reformista da SFIO, mas manteve firme posição antimilitarista, pela qual foi assassinado. p. 131, 146n.

Kautsky, Karl (1854-1938): um dos dirigentes e teóricos da social-democracia alemã e da Segunda Internacional, dirigiu a revista teórica do partido, *Die Neue Zeit*. Inicialmente marxista e seguidor de Engels, nos anos anteriores à Primeira Guerra Mundial aproximou-se do revisionismo, contestando a inevitabilidade da revolução proletária e a ditadura do proletariado. p. 15-7, 24, 31, 35, 51, 56n, 57, 69, 76, 90-1, 101, 129, 131-43, 145-6, 154-5, 157-9, 173, 193.

Keriénski, Aleksandr Fiódorovitch (1881-1970): socialista-revolucionário russo. Durante a Primeira Guerra Mundial foi social-chauvinista. Depois da Revolução Democrática Burguesa de Fevereiro de 1917, foi ministro da Justiça, ministro da Guerra e da Marinha e ministro-presidente do governo provisório. Após a Revolução Socialista de Outubro, enfrentou o poder soviético e, em 1918, exilou-se. p. 30, 97.

Kolb, Wilhelm (1870-1918): social-democrata alemão revisionista que, durante a guerra imperialista, se posicionou como social-chauvinista. p. 146.

Kollontai, Aleksandra (1872-1952): economista, teórica e revolucionária russa, ingressou no POSDR em 1890. Ativa militante do Movimento Internacional das Mulheres Socialistas, foi eleita para o Comitê Central do partido em 1917. Após a Revolução Socialista de Outubro, ocupou postos diplomáticos e foi Comissária do Povo para a Segurança Social. p. 12

Kornílov, Lavr Gueórguevitch (1870-1918): nomeado comandante-chefe do Exército Russo em agosto de 1917, foi destituído por manifestar oposição ao governo provisório. Após a Revolução de Outubro, procurou reunir a contrarrevolução para marchar rumo a Petrogrado. Foi morto em combate. p. 169 e n, 170.

Kropótkin, Piotr Alekséievitch (1842-1921): geógrafo, viajante e revolucionário russo, foi um dos ideólogos do anarquismo. De 1876 a 1917 viveu no exílio e se opôs aos marxistas. Em 1920, porém, dirigiu aos operários europeus uma carta em que reconhecia a importância da Revolução Socialista de Outubro e os exortava a opor-se à intervenção militar na Rússia. p. 123, 144, 199.

Kugelmann, Ludwig (1830-1902): social-democrata alemão, amigo de Marx, participou na revolução de 1848-1849 e foi membro da Primeira Internacional. De 1862 a 1874, correspondeu-se com Marx, informando-o da situação na Alemanha. p. 60n, 61, 154n, 157.

Lassalle, Ferdinand (1825-1864): socialista alemão, originou o lassallianismo – visto por aliados de Marx como uma forma do oportunismo no movimento operário alemão. Foi um dos fundadores da Associação Geral de Operários

202 O ESTADO E A REVOLUÇÃO

Alemães (1863), que teve significado positivo para o movimento operário. Contudo, o esforço de Lassalle por adaptá-la ao regime de Bismarck dificultou a atividade da Primeira Internacional. p. 104, 110, 117-9.

Legien, Karl (1861-1920): social-democrata revisionista alemão, dirigente sindical. Durante a Primeira Guerra Mundial foi social-chauvinista. p. 23, 69, 71, 146.

Liebknecht, Wilhelm (1826-1900): personalidade eminente do movimento operário alemão e internacional, um dos fundadores e dirigentes do Partido Social-Democrata da Alemanha. De 1875 até o fim da vida, foi membro do Comitê Central do partido e diretor de seu jornal, o *Vorwärts*. Marx e Engels apreciavam Liebknecht, mas criticavam sua posição conciliadora. p. 44n, 90, 92, 159n.

Loria, Achille (1857-1943): economista político italiano de carreira universitária. Influenciado por Spencer, desenvolveu uma teoria positivista do desenvolvimento econômico. Suas críticas a Marx foram rebatidas por Engels. p. 177n.

Luxemburgo, Rosa (Junius) (1871-1919): destacada personalidade da social-democracia e do movimento operário alemães e poloneses. Importante teórica, foi uma das organizadoras do Partido Comunista da Alemanha. Após lutar apaixonadamente contra o militarismo e o imperialismo, foi assassinada por milícias de direita a mando do governo dos sociais-democratas oportunistas. p. 139, 213.

Marx, Karl (1818-1833): pensador fundamental, iniciador do comunismo científico ao lado de Engels. Criou o materialismo dialético e histórico, em uma viragem revolucionária na filosofia. p. 13-4, 17-8, 24, 27-9, 31, 37, 39, 42-52, 54, 56-79, 81, 84-5, 88-9, 91, 94, 96, 98-9, 104n, 105 e n, 109-12, 114, 117-20, 123-4, 130, 132-4, 136-8, 140-5, 153-4 e n, 156-7, 162, 165, 168, 171-3, 181, 186, 191, 193-6, 201-2, 204-6, 209, 211.

Mehring, Franz (1846-1919): filósofo, historiador, jornalista político e crítico literário, destacou-se no movimento operário da Alemanha. Foi um dos dirigentes e teóricos da ala esquerda da social-democracia alemã e desempenhou um papel importante na fundação do Partido Comunista no país. p. 46, 56.

Mikhailóvksi, Nikolai Konstantínovitch (1842-1904): destacado teórico do narodismo russo, era jornalista político, crítico literário e filósofo. Travou uma luta dura contra o marxismo. Lênin criticou suas concepções em *Quem são os "amigos do povo" e como lutam contra os sociais-democratas*. p. 32.

Millerand, Aléxandre Étienne (1859-1943): líder da tendência oportunista do movimento socialista francês. Em 1899, entrou para o governo burguês de Waldeck-Rousseau. Expulso em 1904 do Partido Socialista, ajudou a fundar o partido dos "socialistas independentes". De 1920 a 1924, foi presidente da república. p. 48n, 131, 132n.

Montesquieu, Charles-Louis de (1669-1755): iluminista francês, jurista, filósofo. Pronunciava-se contra o absolutismo. p. 78.

Paltchínski, Piotr Ioakímovitch (1875-1929): engenheiro russo estreitamente ligado ao setor bancário. Depois da Revolução de Fevereiro de 1917, integrou o governo provisório. Embora se opusesse à Revolução Socialista de Outubro, chegou a trabalhar em projetos industriais do governo bolchevique. Foi fuzilado sob a alegação de atividade contrarrevolucionária e sabotagem. p. 36.

Pannekoek, Anton (1873-1960): astrônomo e teórico marxista, um dos fundadores do jornal *De Tribune*, órgão da ala esquerda do Partido Operário Social-Democrata holandês. De 1918 a 1921, fez parte do Partido Comunista da Holanda e integrou a Internacional Comunista, posicionando-se à esquerda. Depois, fundou o Partido dos Trabalhadores Comunistas da Holanda. p. 138-43, 154, 158, 173.

Plekhánov, Gueorgui Valentínovitch (1856-1918): eminente personalidade do movimento operário russo e internacional, fundou o primeiro grupo marxista russo, o Emancipação do Trabalho. Depois do II Congresso do POSDR, defendeu a conciliação com a burguesia; mais tarde aderiu aos mencheviques. Apesar de divergir dos bolcheviques e opor-se à Revolução Socialista de Outubro, não apoiou a contrarrevolução. Lênin tinha em alto apreço sua atividade em fins do século XIX e início do século XX. p. 17, 23, 59, 62, 69, 72, 76, 123, 129-30, 132n, 146, 153, 155, 158, 173, 209, 211.

Pomialóvski, Nikolái Guerássimovitch (1835-1863): escritor russo. p. 122 e n.

Potréssov, Alexandr Nikoláievitch (1869-1934): participante no movimento revolucionário russo. Durante os anos 1890 aderiu aos marxistas e participou na criação do jornal *Искра/ Iskra*. A partir de 1903 foi um dos ideólogos do menchevismo. Foi dirigente nas revistas *Возрождение/ Vozrojdénie* e *Наша Заря/ Nacha Zariá* e em outros órgãos mencheviques. Durante a Primeira Guerra Mundial foi social-chauvinista. Depois da Revolução de Outubro, exilou-se. p. 23, 146.

Proudhon, Pierre-Joseph (1809-1865): publicista, economista e sociólogo francês, foi um dos fundadores do anarquismo. Embora criticasse a grande propriedade capitalista, defendia a pequena propriedade privada. Considerava o Estado a principal fonte das contradições de classe e apresentava projetos utópicos para sua "liquidação pacífica". p. 75-6, 84n, 85, 88, 130, 132, 141.

Rádek, Karl Berngárdovitch (1885-1939): participante no movimento social-democrata da Polônia e da Alemanha. Durante a Primeira Guerra Mundial, tomou uma posição internacionalista, embora manifestasse tendência ao centrismo. Fez parte do partido bolchevique a partir de 1917, passando para a oposição interna em 1923. Mais tarde, em 1927, foi expulso. p. 139.

Renaudel, Pierre (1871-1935): dirigente reformista do Partido Socialista Francês. De 1902 a 1914 foi redator do jornal *Le Peuple* e de 1915 a 1918, do *L'Humanité*. Deputado entre 1914 e 1919 e em 1924, assumiu posição social-chauvinista durante a Primeira Guerra. Em 1927, afastou-se da direção do partido. p. 23, 69.

Rubanóvitch, Iliá Adólfovitch (1860-1920): um dos dirigentes do partido socialista-revolucionário. Membro do Bureau Socialista Internacional. Durante a Primeira Guerra Mundial, foi social-chauvinista. Depois da revolução socialista de Outubro, foi adversário do poder soviético. p. 23.

Ruge, Arnold (1802-1880): jornalista alemão, jovem hegeliano. Em 1844, editou em Paris, com Marx, a revista *Deutsch-Französische Jahrbücher*. Em seguida, rompeu com ele. Depois de 1866, tornou-se partidário de Bismarck. p. 181 e n.

Russánov, Nikolai Serguéievitch (1859-1939): jornalista russo, membro da organização *naródniki* Vontade do Povo, mais tarde socialista-revolucionário. Foi redator de vários jornais socialistas-revolucionários. Depois da Revolução Socialista de Outubro, tornou-se exilado branco. p. 71.

Scheidemann, Philipp (1865-1939): um dos dirigentes da ala oportunista e mais à direita da social-democracia alemã. Durante a Primeira Guerra Mundial, foi social-chauvinista. Ajudou a organizar a repressão sangrenta do movimento operário alemão de 1918 a 1921, em especial no período em que foi chanceler, em 1919. p. 23, 69, 71, 146.

Sembat, Marcel (1862-1922): dirigente reformista do Partido Socialista Francês. Tendo aderido ao social-chauvinismo, foi ministro das Obras Públicas do "governo da defesa nacional" de 1914 a 1917. p. 69, 71.

Skóbelev, Matvéi Ivánovitch (1885-1939): participante menchevique da social--democracia russa. Social-chauvinista, ocupou o Ministério do Trabalho do governo provisório em 1917. Em 1922, aderiu ao Partido Comunista, envolvendo-se na execução da Nova Política Econômica (NEP). p. 36, 70.

Spectator (Míron Issaákovitch Nakhímson) (1880-1938): economista judeu lituano, integrou a União Geral Operária Judaica da Lituânia, Polônia e Rússia (Bund). Autor de obras sobre economia agrária, assumiu postos em instituições econômicas após a vitória da Revolução de Outubro de 1917. p. 158.

Spencer, Herbert (1820-1903): filósofo, psicólogo e sociólogo inglês, destacou-se como representante do positivismo. Procurando justificar a desigualdade social, comparou a sociedade humana a um organismo e transferiu a doutrina da luta pela vida para a história da humanidade. p. 32, 201.

Stauning, Thorwald (1873-1942): estadista dinamarquês, foi um dos dirigentes de direita da social-democracia dinamarquesa e da Segunda Internacional. De

1910 a 1942 presidiu o Partido Social-Democrata da Dinamarca. Foi várias vezes ministro e, em 1924-1926 e 1929-1942, primeiro-ministro da Dinamarca. p. 69, 146.

Stirner, Max (1806-1856): filósofo alemão e ideólogo do anarquismo, foi repetidamente criticado por Marx e Engels. p. 130.

Struve, Piotr Berngárdovitch (1870-1944): economista, filósofo, historiador e jornalista russo. Teórico do "marxismo legal", tornou-se um dos dirigentes do Partido Constitucional Democrata. Seus "acréscimos" e "críticas" à doutrina econômica e filosófica de Marx o afastaram cada vez mais do movimento operário. Exilou-se após a Revolução Socialista de Outubro. p. 62, 211-2.

Tchernov, Víktor Mikháilovitch (1876-1952): um dos dirigentes e teóricos dos socialistas-revolucionários, publicou artigos contra o marxismo. Durante a Primeira Guerra Mundial, adotou posições sociais-chauvinistas. Depois da Revolução Socialista de Outubro, engajou-se em atividade antissoviética antes de se exilar. p. 23, 30n, 36, 70-1, 104, 122-3, 146.

Treves, Claudio (1868-1933): um dos dirigentes reformistas do Partido Socialista Italiano (PSI), opôs-se à Revolução Socialista de Outubro. p. 146.

Tseretéli, Irákli Gueórguievitch (1881-1959): dirigente menchevique. Depois da Revolução de Fevereiro de 1917, integrou o Comitê Executivo do Soviete de Petrogrado e, em seguida, entrou para o governo provisório. Com a Revolução Socialista de Outubro, foi para a Geórgia, onde se tornou ministro do governo menchevique. Exilou-se em 1921. p. 23, 36, 70, 72, 99 e n, 100, 104, 122-3, 146.

Túgan-Baranóvski, Mikháíl Ivánovitch (1865-1919): economista e historiador russo. Um dos representantes do "marxismo legal", mais tarde tornou-se defensor do capitalismo desenvolvimentista. p. 119, 211.

Turati, Filippo (1857-1932): um dos fundadores do Partido Socialista Italiano, dirigente de sua ala reformista. Durante a Primeira Guerra Mundial, adotou uma posição centrista e opôs-se à Revolução Socialista de Outubro. Em 1926, exilou-se na França, onde desenvolveu atividade antifascista. p. 146.

Vandervelde, Émile (1866-1938): dirigente do Partido Operário da Bélgica, presidente do Bureau Socialista Internacional da Segunda Internacional. Durante a Primeira Guerra Mundial, foi social-chauvinista. Adepto do que chamava "revolução reformista", teve uma atitude hostil em relação à Revolução Socialista de Outubro na Rússia. De 1925 a 1927, foi ministro dos Assuntos Exteriores da Bélgica. p. 23, 69, 71, 146.

Webb, Beatrice (1858-1943) e *Webb, Sidney* (1859-1947): casal de economistas destacado entre os círculos reformistas ingleses. Escreveram uma série de obras sobre a história e a teoria do movimento operário inglês. Foram fundadores da reformista Sociedade Fabiana. Durante a Primeira Guerra Mundial, aderiram ao social-chauvinismo. p. 23n, 143.

Weydemeyer, Joseph (1818-1866): destacada personalidade do movimento operário alemão e estadunidense, amigo de Marx e Engels, foi membro da Liga dos Comunistas. Depois da derrota da revolução de 1848-1849 na Alemanha, emigrou para os Estados Unidos, onde participou na Guerra Civil de 1861-1865 do lado dos nortistas e difundiu o marxismo. p. 46n, 56.

Zenzínov, Vladímir Mikháilovitch (1880-1953): um dos dirigentes do partido socialista-revolucionário russo, foi membro do seu Comitê Central. Em 1917, integrou o Comitê Executivo do Soviete de Petrogrado. Partidário do bloco com a burguesia, foi redator do jornal Дело Народа/ *Dielo Naroda*. Depois da Revolução Socialista de Outubro, tornou-se exilado branco. p. 71.

Zinóviev, Grigóri Evséievitch (1883-1936): social-democrata russo, aderiu aos bolcheviques no II Congresso do POSDR. Em Outubro de 1917, foi um dos divulgadores da resolução do Comitê Central sobre a insurreição armada. Em 1925, organizou a "nova oposição" e, em 1926, o bloco Trótski-Zinóviev. Foi mais de uma vez expulso do partido, exilado e depois reintegrado, até ser sentenciado à morte por atividade contrarrevolucionária. p. 177n.

CRONOLOGIA

Ano	Vladímir Ilitch Lênin	Acontecimentos históricos
1870	Nasce, no dia 22 de abril, na cidade de Simbirsk (atual Uliánovsk).	
1871		Em março, é instaurada a Comuna de Paris, brutalmente reprimida em maio.
1872		Primeira edição de *O capital* em russo, com tradução de Mikhail Bakúnin e Nikolai F. Danielson.
1873		Serguei Netcháiev é condenado a vinte anos de trabalho forçado na Sibéria.
1874	Nasce irmão Dmítri Ilitch Uliánov em 16 de agosto.	Principal campanha *naródniki* (populista) de "ida ao povo".
1876		Fundação da organização *naródniki* Terra e Liberdade, da qual adviriam diversos marxistas, como Plekhánov.
1877		Marx envia carta ao periódico russo *Отечественные Записки/ Otetchestvênie Zapiski*, em resposta a um artigo publicado por Nikolai Mikhailóvski sobre *O capital*.
1878	Nasce irmã Maria Ilinítchna Uliánova, em 18 de fevereiro.	Primeira onda de greves operárias em São Petersburgo, que duram até o ano seguinte.
1879		Racha de Terra e Liberdade: a maioria funda A Vontade do Povo, a favor da luta armada. A minoria organiza A Partilha Negra. Nascem Trótski e Stálin.
1881		Assassinato do tsar Aleksandr II no dia 13 de março. Assume Aleksandr III. Marx se corresponde com a revolucionária russa Vera Zássulitch.

Ano	Vladímir Ilitch Lênin	Acontecimentos históricos
1882		Morre Netcháiev. Marx e Engels escrevem prefácio à edição russa do *Manifesto Comunista*.
1883		Fundação da primeira organização marxista russa, Emancipação do Trabalho.
1886	Morre o pai, Ilia Uliánov. Lênin conclui as provas finais do ensino secundário como melhor aluno.	
1887	Aleksandr Uliánov, seu irmão mais velho, é enforcado em São Petersburgo por planejar o assassinato do tsar. Em agosto, Lênin ingressa na Universidade de Kazan. Em dezembro, é preso após se envolver em protestos e expulso da universidade.	
1888	Lê textos de revolucionários russos e começa a estudar direito por conta própria. Inicia primeira leitura minuciosa de *O capital*. Reside em Kazan e Samara.	
1889	Conhece e convive com A. P. Skliarenko e seu círculo, a partir do qual entra em contato com o pai de Netcháiev.	Fundação, em Paris, da Segunda Internacional.
1890	Primeira viagem a São Petersburgo, a fim de prestar exames para a Faculdade de Direito.	
1891	Recebe diploma de primeira classe na Faculdade de Direito da Universidade de São Petersburgo. Participa de "iniciativa civil" contra a fome, denunciando a hipocrisia das campanhas oficiais.	
1892	Autorizado a trabalhar sob vigilância policial, exerce a advocacia até agosto do ano seguinte no tribunal em Samara.	

CRONOLOGIA 211

Ano	Vladímir Ilitch Lênin	Acontecimentos históricos
1893	Participa de círculos marxistas ilegais, atacando o narodismo, e leciona sobre as obras de Marx. Muda-se para São Petersburgo, onde integra círculo marxista com Krássin, Rádtchenko, Krjijanóvski, Stárkov, Zaporójets, Vanéiev e Sílvin.	
1894	Publica *Quem são os "amigos do povo" e como lutam contra os social-democratas?*. Conhece Nadiéjda K. Krúpskaia. Encontra os "marxistas legais" Piotr Struve e M. I. Túgan-Baranóvski no salão de Klásson.	Morte de Aleksandr III. Coroado Nicolau II, o último tsar.
1895	Viaja a Suíça, Alemanha e França, entre maio e setembro. Conhece sociais-democratas russos exilados, como Plekhánov e o grupo Emancipação do Trabalho. De volta à Rússia, é preso em 8 de dezembro, em razão de seu trabalho com a União de Luta pela Emancipação da Classe Operária, e condenado a 14 meses de confinamento solitário, seguidos de três anos de exílio.	
1896	Prisão solitária.	Nadiéjda K. Krúpskaia é presa.
1897	Exílio em Chuchenskoie, na Sibéria.	
1898	Casamento com Krúpskaia no dia 22 de julho, durante o exílio. Em Genebra, o grupo Emancipação do Trabalho publica "As tarefas dos sociais-democratas russos", escrito por Lênin no final de 1897.	Congresso de fundação do Partido Operário Social-Democrata da Rússia (POSDR), em Minsk, 13-15 de março.
1899	Publicação de seu primeiro livro, *O desenvolvimento do capitalismo na Rússia*, em abril, durante o exílio.	
1900	Com o fim do exílio na Sibéria, instala-se em Pskov. Transfere-se para Munique em setembro.	Publicada a primeira edição do jornal *Искра/ Iskra*, redigido no exterior e distribuído clandestinamente na Rússia.

Ano	Vladímir Ilitch Lênin	Acontecimentos históricos
1901	Começa a usar sistematicamente o pseudônimo "Lênin".	
1902	Publica *Que fazer?* em março. Rompe com Struve.	Lançado o *Освобождение/ Osvobojdenie*, periódico liberal encabeçado por Struve.
1903	Instala-se em Londres em abril, após breve residência em Genebra. Publica "Aos pobres do campo" e se dissocia do *Iskra*.	II Congresso do POSDR, em Bruxelas e depois em Londres, de 30 de julho a 23 de agosto, no qual se dá a cisão entre bolcheviques e mencheviques.
1904	Abandona Comitê Central do partido. Publica *Um passo em frente, dois passos atrás* e o primeiro número do jornal bolchevique *Вперёд/ Vperiod*, em Genebra.	Início da Guerra Russo-Japonesa; a Rússia seria derrotada no ano seguinte. Mártov publica "O embate do 'estado de sítio' no POSDR".
1905	Escreve *Duas táticas da social--democracia na revolução democrática* em junho-julho. Chega em São Petersburgo em novembro. Orienta a edição do primeiro jornal diário legal dos bolcheviques, o *Новая Жизнь/ Nóvaia Jizn*, publicado entre outubro e dezembro.	Em 22 de janeiro, Domingo Sangrento em São Petersburgo marca início da primeira Revolução Russa. III Congresso do POSDR, de 25 de abril a 10 de maio, ocorre sem a presença dos mencheviques. Motim no encouraçado Potemkin em 14 de junho. Surgem os sovietes. Manifesto de Outubro do tsar.
1906	Em maio, faz seu primeiro discurso em comício, em frente ao palácio da condessa Pánina.	V Congresso do POSDR em Londres, de 13 de abril a 1º de junho. Convocação da Primeira Duma.
1907		Publicação da obra *Resultados e perspectivas*, na qual Trótski, a partir do balanço da revolução de 1905, apresenta uma primeira versão da teoria da revolução permanente. Segunda Duma (fevereiro). Nova lei eleitoral (junho). Terceira Duma (novembro).
1908	Escreve *Materialismo e empiriocriticismo*, publicado no ano seguinte. Em dezembro, deixa Genebra e parte para Paris.	

CRONOLOGIA 213

Ano	Vladímir Ilitch Lênin	Acontecimentos históricos
1909	Conhece Inessa Armand na primavera, com quem manteria uma relação próxima.	
1910	Encontra Máksim Górki na Itália. Participa do Congresso de Copenhague da II Internacional. Funda *Рабочая Молва/ Rabótchaia Molva* em novembro e inicia série de artigos sobre Tolstói.	Congresso de Copenhague.
1911	Organiza a escola do partido em Longjumeau, perto de Paris.	Assassinato do ministro tsarista Piotr Stolypin em 18 de setembro.
1912	Instala-se em Cracóvia em junho. Eleito para o Bureau Socialista Internacional. Lança o *Правда/ Pravda* em maio, após a organização do Comitê Central dos bolcheviques, em Praga, no mês de janeiro.	VI Congresso do Partido em Praga, essencialmente bolchevique. Após anos de repressão, os operários russos retomam as greves. Bolcheviques e mencheviques deixam de pertencer ao mesmo partido. Quarta Duma.
1913	Muda-se para Poronin em maio. Escreve longos comentários ao livro *A acumulação do capital*, de Rosa Luxemburgo. Entre junho e agosto, viaja à Suécia e à Áustria.	
1914	Preso por doze dias no Império Austro-Húngaro após a eclosão da Primeira Guerra. Ele e Krúpskaia partem para Berna. Lê e faz anotações sobre a *Ciência da lógica* de Hegel, depois conhecidas como *Cadernos filosóficos*.	Início da Primeira Guerra Mundial. O apoio dos sociais-democratas alemães aos créditos de guerra gera uma cisão no socialismo internacional. Greves gerais em Baku. São Petersburgo é renomeada como Petrogrado.
1915	Participa da Reunião Socialista Internacional em Zimmerwald.	Movimentos grevistas na Rússia ocidental. Reunião socialista internacional em Zimmerwald, na Suíça, em setembro, com lideranças antimilitaristas.
1916	Escreve *Imperialismo, fase superior do capitalismo*. Comparece à II Conferência de Zimmerwald, em Kienthal (6 a 12 de maio). Morte de sua mãe, Maria Aleksándrovna Uliánova.	Dissolução da Segunda Internacional, após o acirramento do embate entre antimilitaristas e sociais-chauvinistas.

Ano	Vladímir Ilitch Lênin	Acontecimentos históricos
1917	Desembarca na Estação Finlândia, em São Petersburgo, em 16 de abril, e se junta à liderança bolchevique. No dia seguinte, profere as "Teses de abril". Entre agosto e setembro, escreve *O Estado e a revolução*.	Protesto das mulheres no 8 de março deflagra Revolução de Fevereiro, a qual põe abaixo o tsarismo. O Partido Bolchevique passa a denominar-se Partido Comunista. A Revolução de Outubro inicia a implantação do socialismo.
1918	Dissolve a Assembleia Constituinte em janeiro. Publica *O Estado e a revolução*. Em 30 de agosto, é ferido em tentativa de assassinato por Dora (Fanni) Kaplan. Institui o "comunismo de guerra".	Assinado o Tratado de Brest-Litovsk em março. Fim da Primeira Guerra Mundial em novembro. Início da Guerra Civil na Rússia. Trótski organiza o Exército Vermelho, com mais de 4 milhões de combatentes, para enfrentar a reação interna e a invasão por tropas de catorze países.
1919	Abre o I Congresso da Comintern.	Fundação da Internacional Comunista (Comintern). Início da Guerra Polonesa-Soviética.
1920	Escreve *O esquerdismo, doença infantil do comunismo*.	II Congresso da Internacional Comunista, de 21 de julho a 6 de agosto. Morre Inessa Armand. Fim da Guerra Polonesa-Soviética.
1921	Em 21 de março, assina decreto introduzindo a Nova Política Econômica (NEP).	X Congresso do Partido, de 1º a 18 de março. Marinheiros se revoltam em Kronstadt e são reprimidos pelo governo bolchevique.
1922	No dia 25 de dezembro, dita seu testamento após sofrer dois derrames.	Tratado de Criação da União Soviética e Declaração de Criação da URSS. Stálin é apontado secretário-geral do Partido Comunista. Fundação do Partido Comunista Brasileiro.
1923	Após um terceiro acidente vascular, fica com restrições de locomoção e fala e sofre de dores intensas.	XII Congresso do Partido, entre 17 e 25 de abril, o primeiro sem a presença de Lênin. Fim dos conflitos da Guerra Civil.
1924	Morre no dia 21 de janeiro. No mesmo ano, é publicado *Lênin: um estudo sobre a unidade de seu pensamento*, de György Lukács	XIII Congresso do Partido, em janeiro, condena Trótski, que deixa Moscou.

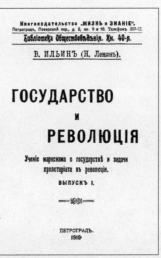

Folha de rosto da primeira edição de
O Estado e a revolução, publicada
na Rússia em 1918. Na página seguinte,
Lênin no Krêmlin, outubro do mesmo ano.

Publicado em setembro de 2017, no centenário da redação do manuscrito original por Lênin, este livro foi composto em Minion Pro, corpo 11/14,9, e reimpresso em papel Pólen Natural 80 g/m² pela gráfica Rettec, para a Boitempo, em julho de 2025, com tiragem de 2 mil exemplares.

Petr Ocup. RGASPI, f. 393, op. 1, d. 18.